ZERO
to
ONE

日本語版　序文──────瀧本哲史

私は、書籍の推薦依頼について、一つのポリシーを持っている。それは、「生きている人の本は決して受けない」というものである。アラン・ブルームの言うところの「尊敬すべき人を同時代に持たない我々が過去に求めるもの」として書籍があるのだとすればこれは必然だ。だから、小学校時代の塾からマッキンゼーまで実に一七年にわたり同級生だった友人が起業したユニークな不動産会社のかなり面白い本でもきっぱり断った。

しかし、これが、あのピーター・ティールの世界同時発売の本を先に読めた上での「序文」ということであれば、話はまったく別である。これは断るにはあまりにも強力な誘惑である。というのも、ティールは生きているうちにすでに伝説となっている人物であり、私にとっては、フランシス・ベーコン同様に（ティールもベーコンを引用している）、尊敬の念をおかざるを得ない存在だからだ。

ティールを紹介しようとすると、彼があまりにも多くの顔を持っているので、一言で説明するのが難しい。わかりやすい説明をすれば、世界最大のオンライン決済システム、ペイパル

（PayPal）の共同創業者であり、現在は、エンジェル投資家（ごく初期のベンチャー企業に自己資金を投資する）、ヘッジファンドマネージャーとして、様々なテーマに投資をしている人物である。ペイパルを創業し、のちに電気自動車のテスラ・モーターズを創業したイーロン・マスクのXドットコムと合併させ、これを株式公開（IPO）させたあと最終的にイーベイに売却した。その後、活動の中心を投資業に移す。

投資家としてのティールの最も有名な顔は、フェイスブックの最初の外部投資家ということである。ティールはフェイスブックに五〇万ドルを融資し、のちに七パーセントの株式に転換した。これが最終的には、一〇億ドルになった。映画『ソーシャル・ネットワーク』をご覧になった方は、ファンドが投資を決定するシーンでティールが登場しているのを見ているはずである（もっとも、ティール本人は、俳優の服装が自分とは違うのでかなり不満らしい）。ティールはビジネス向けソーシャル・ネットワーキング・サービスのリンクトインにも投資しており、このIPOも大成功している。他にもめぼしいところだけでもヤマー、イェルプ、クオラなどに投資しており、イーロン・マスクの宇宙ロケット開発会社スペースXにも出資している。ペイパル出身者が次々と会社を立ち上げ、あちこちの分野で成功して、その人的、経済的ネットワークが大きな影響力を持っていることから、彼らを俗に「ペイパル・マフィア」と呼ぶが（先述のスペースX、リンクトイン、イェルプの他にも、ユーチューブ、テスラ・モーターズ、キヴァなど各分野でのトップ企業がことごとくペイパル出身者による創業なのである）、ティールはこの「ペイパル・マフィアのドン」だと、彼らを特集したフォーチュン誌で評されている。

そのティールがベンチャーについて本を出した。いわゆる「イケてるベンチャー」を量産している起業家、投資家グループの中心人物が、スタンフォード大学の学生向けに行なった「起業論」の講義をもとに書いた一冊だ。そうなれば、これだけで「即買い」ということになりそうではないか（今すぐレジに向かおう）。『スタンフォード式起業の教科書』と改題して、私が「これがアメリカの学生に配られている武器だ」と帯に書けばベストセラー間違いない（もちろん、そんな本だったら私は序文は書かないだろう）。

ただ一方で、ウェブで読めるような「○○を成功させるための10の法則」的な、内容を薄めた本じゃないのかと、心配にもなるだろう。安心して欲しい。実は、ティールはそんな単純な人物ではないし、本書もそんな「わかりやすい」本ではない。例えば、今流行りのリーン・スタートアップなどは、手厳しく批判している。

実際、ティールはいろいろな顔を持っており、かなり複雑な人間だ。ティールの世界観が垣間見える出来事がある。フェイスブックの上場まもなく、フェイスブック株をほとんど売ってしまったのだ。これが原因でフェイスブック株は大幅に下落した。証券市場も非常な驚きをもってこれを受け止めた。なぜ、そうしたのか。そのヒントはティールが設立したベンチャー投資ファンド、ファウンダーズ・ファンドのサイトに載っている。いわく、「我々は空飛ぶ自動車を欲したのに、代わりに手にしたのは一四〇文字だ」。このコピーはツイッターを揶揄したものだが、要は、フェイスブックを含めてソーシャル・ネットワーキング・サービスの未来が、ティールにはあまりに小さく退屈だったということだろう。

その証拠に、ティールが力を入れている他のプロジェクトのある種の荒唐無稽ぶりを見てみるといい。ティールは、世界的ベストセラー『選択の自由』の著者で新自由主義を唱道したミルトン・フリードマンの孫で、グーグルの元エンジニアであるパトリ・フリードマンが創ったSeasteading Instituteを支援している。これは、公海上に石油採掘プラットフォームのような人工島を建設し、そこに完全に規制のない自由な実験国家を作ろうとするプロジェクトである。ティールはこれまで一二五万ドルを寄付したと報道されている。ある意味、とても馬鹿げている。他にも技術的なブレークスルーで世界を変えるプロジェクトに出資をしている。それは延命技術であったり、人工知能が人間の知性を超えるポイント（シンギュラリティ）に達した後の世界はどのようなものかを研究するプロジェクト（本書でも人間と人工知能の関係に触れている）などで、その他、基礎科学にも寄付をしている。特に延命技術はSFチックで、投資先には、死体の冷凍保存が社員の福利厚生に含まれている会社すら存在する。医療の発達による延命の可能性を残そうというものである。

最近、物議を醸したプロジェクトは、ティール・フェローシップである。これは、二〇歳以下の若者に対して、学校をやめる他には特に条件なしに二年間で一〇〇万ドルを支給し、研究や仕事に没頭させるというプログラムである。これはあまりにも大胆な社会実験であり、一定の批判を受けた。しかし、ティールによれば、今の高等教育の隆盛はバブルでしかなく、飛び抜けて優秀な頭脳の持ち主にとって大学は、集中すべき活動に割くための時間を奪い、一般的な活動しか与えていない有害なものである。「完全に自主的な知性、何か新しいものを作る決意、そして、それを実現する力を持った者」をその課題に専念させれば、大きな成果を上げることができるから、そのための資金を出そうというわけである。その内容は消費者向けの新サービスの開発から、基礎科学、政治に絡んでくるイシューまで様々であり、すでに一定の成果を上げている。

このプログラムの応募書類の質問の中には、本書でも紹介される、ティールが最も重視する質問が出てくる。それは、「世界に関する命題のうち、多くの人が真でないとしているが、君が真だと考えているものは何か？」というものである。つまりティールは、強い個性を持った個人（ただし、実際にはティールは少人数のチームを重視する）が、世界でまだ信じられていない新しい真理、知識を発見し、人類をさらに進歩させ、社会を変えていくことを、自らの究極の目的としているのである。一見、金持ちの道楽としか思えない様々なプロジェクトも、個性ある個人の知性と技術による社会改革の一つと考えれば、了解可能だ。

ティールは多数派の意見を積極的に覆すことを意義あることと考える。であるから、政治的には個人の絶対的な意思、自己決定を重視するリバタリアンの立場をとり、先ほど紹介した人工島国家計画を支援したり、さらには、リバタリアン系の政治家に大口献金をしたりするわけである。そんなティールが起業に関する本を書けば、世の中の流行と同じものになるわけがない。ティールは、ヘッジファンドのマネージャーとして世界経済の流れに逆張りして投資していたこともあるくらいの「逆張り投資家」であるから、本書の内容も逆張りである。

ティールの主張で最もコアとなる部分は、「リーン・スタートアップ」と呼ばれる今流行りのコンセプトとは真逆である。リーン・スタートアップでは、事前にあまり計画せずに、少しずつ改善することを重視するが、ティールはそうしたスタートアップは結局は成功しにくいと考える。むしろ、あるべき姿は、「競合とは大きく違うどころか、競合がいないので圧倒的に独占できるような全く違うコンセプトを事前に計画し、それに全てを賭けろ」というスタンスである。Yコンビネーターや500スタートアップスといった、「どれが成功するかはわからないので、一定の基準を満たしたら全て投資する」という最近のインキュベーター型の投資会社とは真逆のスタンスだ。私自身の経験からも、皆が反対する投資の方が結局リターンが良いという実感がある。

ティールは競争ではなく、独占の重要性を強調する。実際、完全競争下では超過リターンは消失するというのが経済学の教えるところであり、競争を避けて利益を追求することがイノベーションの源泉であることは、私自身が著書『僕は君たちに武器を配りたい』で散々強調したことでもある。これはティールの人生の初期段階でのキャリアチェンジとも関係しているようだ。ティールは元々スタンフォード大学のロースクールを出て法曹を目指していたが、狙っていた最高裁判所のポジションが取れず、同じ道で競い合って大量の人が微妙な差で勝ったり負けたりするゲームのむなしさ、リスク／リターンの悪さを痛感したらしい（これは私自身の経験とも被る）。そこで、デリバティブのトレーダーになるのだが、これも実は違いを作り出せない仕事だとティールは考えたようだ。そして最終的には起業家へと大きくキャリアを切り替えていく。

だから、ティールは、優秀な学生が経営戦略コンサルタントや弁護士、投資銀行などのキャリアに就いて、「あいまいな楽観主義」にもとづいた小さな成功（＝選択肢が拡がる）だけである）しか手にせず、社会を大きく進化させる力を持たないことを批判する。むしろ、積極的な計画、あるべきものを提示することによって社会を動かし、自分の人生のコントロールを取り戻す試みとしての起業を、人生における正しいアプローチと位置づける。まだ多くの人が認めていない「隠れた真実」を、利害とビジョンを共有したマフィアによって発見して、それを世界中に売り込む。少人数のチームが、テクノロジーを武器に、社会に非連続な変化を起こす。こうしたプロジェクトのポイントを、ティールは本書で順々に説明していく。

この「隠れた真実」を明らかにしていく、つまり本書の書名が意味する「ゼロから1を創り出す」アプローチの観点から、昨今、盛り上がりを見せている日本のスタートアップ、起業界隈を振り返ってみると、「0 to 1」とはほど遠いことがわかる。隠れた真実を追究するというよりは、アメリカで流行っているテーマの焼き直しを日本向けにアレンジしている起業がとても多い。一般個人投資家にとってのみ目新しい、流行りのビジネスモデルや経営者の話題性（性別、学歴、職歴など）、資金調達の規模をもとに、ベンチャー界隈でお互い褒め合ったりして、評価が決まってしまっているところもある。

こうなると、あるテーマがビジネスになりそうだとなると、一斉に同じコンセプトの会社が市場に参入する。例えば、現在ソーシャルゲームにはあまりにも多くのプレーヤーが参加して互いにつぶし合っていて、独占とはほど遠い状況である。結果、ほとんど似たようなコンセプトを互いに模倣し、最終的には広告投入競争になってしまっている。すると、今度は、ソーシャルゲーム会社からスマホ向け広告の出稿を見込めるので、各種メディアアプリ戦争が勃発した。しかし、これもどんどん後発が先行プレーヤーをまねるため、結局は広告の投入合戦になっており、ついには、あれほど凋落したと言われていたテレビCMさえちょっとした活況を呈している。しかし、いずれはどれも超過リターンを取れなくなっていくだろう。

「タイムマシン経営」と言われる海外成功事例のパクリも多い。アメリカでバイラルメディアが流行すれば、日本でもバイラルメディアが乱立し、ニュースメディアが流行りそうであれば、これまた、同じようなサービスが乱立する。ティールはペイパルとXドットコムがつぶし合いになりそうなときには合併することで不要な競争を避けたが、日本では逆の方向である。こうした会社がなんとか大きくなって上場したとしよう。この場合、上場がゴールになってしまい、その後株価が急落する会社も多い。一見すると目新しいけれど大企業が容易に模倣できるサービスを提供する会社が、社長の個人的話題性で株価をつり上げることに成功するも、大企業が本気で参入したとたん「利益が急落、株価が数分の一に」などということは日常茶飯事である。

日本人はスタートアップにおいても、「隠れた真実」とは真逆の「皆が知っているが実は間違っていること」に賭けて損をする人が多い。投資の世界では、「日本人が来たら売れ」などとやや皮肉めいた格言があるが、こんなことでは、日本で成功したベンチャー企業が、国内市場の成長性では株価が維持できそうにないので無理に海外進出し、結局、現地で返り討ちに遭い、グローバリゼーション失敗という展開になっても無理からぬ話である。一方、ティールが手がけている投資先の場合、当初はそんなことがビジネスになるのかと言われ、あるいは技術的に現時点で疑問点があるからこそ、世界でトップになることができるわけである。

以上を踏まえると、本書はぜひ、様々な立場にある日本人に幅広く読まれて欲しいと思っている。また、ピーター・ティールという、アメリカの快進撃の象徴であると同時に思想的にかなり変わった人物、しかも、その一見特異に見える思想を本当に実現してしまいかねない人物について、興味を持つキッカケにして欲しいと思う。

まず、一番読んで欲しいのは、起業家ないし起業志望者の人達だ。スモールビジネスで起業するのも良いが、全く新しい、世界を変えるような巨大な企業を創り出そうとする本書のアプローチは一度目にしておいた方が良いだろう。必ず、目線をあげるキッカケになるだろう。

また、大企業で働き、新規事業を開発しようとしている人達には、その必要な規模感に見合う思考法を身につけるのに良いはずだ。

いわゆる、高級サラリーマン、プロフェッショナルにも良い刺激だ。実際、ティールは年収二〇万ドルぐらいの一流大学卒業生、「雇われ身分」の人達を一番挑発しているように思う。それは、ティール自身が、「あいまいな楽観主義」による選択肢の拡大、分散投資的発想の際限のない競争の世界から積極的に「ドロップアウト」した人物だからでもある。

科学やテクノロジーの力で社会を変えよう、今までにない発見をしようと思っている自然科学者、エンジニアにとっても、起業に対するイメージを変える一冊となるだろう。最近、京大でノーベル賞に最も近い研究室の一つと言われる研究室に属するとびきり優秀な研究者に起業の概念を説明する機会があったのだが、実は、「隠れた真実」を発見するという点において、両者は似通っている。

ひょっとすると、あるべき社会像やリバタリアンに興味がある人、また、現代の知識人像について思いを馳せてみたい人にも面白いかも知れない。ティールはある意味で近代合理主義の元祖によく似ている。つまり、フランシス・ベーコンが典型であるように、ルネサンス期には科学と技術、ビジネス、政治といった、現代においてばらばらの分野も互いに融合しており、一人の人間がそれを担っていたのだ。

そして、なによりも、未来を担う若者に勧めたい。なぜなら本書は、ティールが、世界を進歩させるために世界中で配ろうとしている武器だからである。

さらに言えば、本書を起点に、「隠れた真実」を見つけ出す「マフィア」が生まれることを期待している。ボン・ヴォヤージュ！　冒険の途中で会いましょう。

ZERO
to
ONE

ゼロ・トゥ・ワン

君はゼロから何を生み出せるか

ゼロ・トゥ・ワン　目次

本文中、（　）は原注を、〔　〕は訳注を表す。
また＊記号と数字は対応する脚注があることを表す。

はじめに

ビジネスに同じ瞬間は二度とない。次のビル・ゲイツがオペレーティング・システムを開発することはない。次のラリー・ペイジとセルゲイ・ブリンが検索エンジンを作ることもないはずだ。次のマーク・ザッカーバーグがソーシャル・ネットワークを築くこともないだろう。彼らをコピーしているようなら、君は彼らから何も学んでいないことになる。

もちろん、新しい何かを作るより、在るものをコピーする方が簡単だ。おなじみのやり方を繰り返せば、見慣れたものが増える、つまり1がnになる。だけど、僕たちが新しい何かを生み出すたびに、ゼロは1になる。何かを創造する行為は、それが生まれる瞬間と同じく一度きりしかないし、その結果、まったく新しい、誰も見たことのないものが生まれる。

この、新しいものを生み出すという難事業に投資しなければ、アメリカ企業に未来はない。現在どれほど大きな利益を上げていても、だ。従来の古いビジネスを今の時代に合わせることで収益を確保し続ける先には、何が待っているだろう。それは意外にも、二〇〇八年の金融危機よりもはるかに悲惨な結末だ。今日の「ベスト・プラクティス」はそのうちに行き詰まる。新しいこと、試されていないことこそ、「ベスト」なやり方なのだ。

行政にも民間企業にも、途方もなく大きな官僚制度の壁が存在する中で、新たな道を模索するなんて奇跡を願うようなものだと思われてもおかしくない。実際、アメリカ企業が成功するには、何百、いや何千もの奇跡が必要になる。そう考えると気が滅入りそうだけれど、これだけは言える。ほかの生き物と違って、人類には奇跡を起こす力がある。僕らはそれを「テクノロジー」と呼ぶ。

テクノロジーは奇跡を生む。それは人間の根源的な能力を押し上げ、**より少ない資源でより多くの成果を可能にしてくれる。**人間以外の生き物は、本能からダムや蜂の巣といったものを作るけれど、新しいものやよりよい手法を発明できるのは人間だけだ。人間は、天から与えられた分厚いカタログの中から何を作るかを選ぶわけではない。むしろ、僕たちは新たなテクノロジーを生み出すことで、世界の姿を描き直す。それは幼稚園で学ぶような当たり前のことなのに、過去の成果をコピーするばかりの社会の中で、すっかり忘れられている。

『ゼロ・トゥ・ワン』は、新しい何かを創造する企業をどう立ち上げるかについて書いた本だ。

僕がペイパルとパランティアの共同創業者として、その後フェイスブックやスペースXを含む数百社のスタートアップへの投資家として、直接学んだことのすべてがこの本の中にある。その過程で起業には多くのパターンがあることに気づいたし、本書でもそれらを紹介しているけれど、この中に成功の方程式はない。そんな方程式は存在しないのだ——起業を教えることの矛盾がそこにある。どんなイノベーションもこれまでにない新しいものだし、「こうしたらイノベーティブになれますよ」と具体的に教えられる専門家などいないからだ。実際、ひとつだけ際立ったパターンがあるとすれば、成功者は方程式でなく第一原理からビジネスを捉え、思いがけない場所に価値を見出しているということだ。

本書は、二〇一二年にスタンフォード大学で僕が受け持った起業の授業から生まれた。大学で専門分野を極めても、広い世界でそのスキルをどう使ったらいいかまで学べる学生は少ない。僕はこの授業を通して、専門分野によって決まった路線の外にもっと広い未来が広がっていること、その未来を創るのは君たち自身であることを教えたかった。学生のひとり、ブレイク・マスターズが詳しく記してくれた授業ノートは、キャンパスをはるかに超えて拡散し、そのノートに僕と彼が修正を加えて、より幅広い読者向けにこの『ゼロ・トゥ・ワン』ができあがった。スタンフォードやシリコンバレーだけに未来を独占させていいわけがない。

1 僕たちは未来を創ることができるか

採用面接でかならず訊く質問がある。「賛成する人がほとんどいない、大切な真実はなんだろう?」

ストレートな質問なので、ちょっと考えれば答えられそうだ。だけど実際には、なかなか難しい。学校では基本的に異論のない知識しか教わらないので、この質問は知的なハードルが高い。それに、その答えは明らかに常識外れなものになるので、心理的なハードルも高いからだ。明晰な思考のできる人は珍しいし、勇気のある人は天才よりもさらに珍しい。

僕がよく聞かされるのは、こんな答えだ。

「この国の教育制度は崩壊している。今すぐに立て直さなければ」

「アメリカは非凡な国家だ」

「神は存在しない」

どの答えも感心しない。最初の二つは真実かもしれないけれど、多くの人が賛成するだろう。三つ目はおなじみの論争の一方に味方しているだけだ。正しい答えは次のような形になるはずだ。「世の中のほとんどの人はXを信じているが、真実はXの逆である」。僕の答えは本章で後ほど紹介しよう。

では、この逆説的な質問がどう未来にかかわるのだろう？　突き詰めて考えれば、未来とは、まだ訪れていないすべての瞬間だ。でも、未来がなぜ特別で大切なのかといえば、それが「まだ訪れていない」からではなく、その時に「世界が今と違う姿になっている」からだ。だから、もしこれから一〇〇年間社会が変わらなければ、未来は一〇〇年以上先にならないとやってこないことになる。もし次の一〇年でものごとが急激に変わるなら、未来は手の届くところにあるということだ。未来を正確に予測できる人などいないけれど、次の二つのことだけは確かだ。未来は今と違う、だけど未来は今の世界がもとになっている。あの逆説的な質問への答えのほとんどは、異なる視点で現在を見ているだけだ。視点が未来に近づくほど、いい答えになる。

ゼロから1へ：進歩の未来

未来を考える時、僕らは未来が今より進歩していることを願う。その進歩は次の二つの形のどちらかになる。ひとつは水平的進歩、または拡張的進歩と言ってもいい。それは、成功例をコピーすること、つまり1からnへと向かうことだ。水平的進歩は想像しやすい。すでに前例を見ているからだ。もうひとつの垂直的進歩、または集中的進歩とは、新しい何かを行なうこと、つまりゼロから1を生み出すことだ。それまで誰もやったことのない何かが求められる垂直的進歩は、想像するのが難しい。一台のタイプライターから同じものを一〇〇台作るのが水平的進歩だ。タイプライターからワープロを創れば、それは垂直的進歩になる。

マクロレベルの水平的進歩を一言で表わすと、「グローバリゼーション」になる。ある地域で成功したことをほかの地域に広げることだ。中国はこれを国家ぐるみで行ない、二〇年計画で今のアメリカを目指している。彼らは先進国でうまくいったことをそっくりそのままコピーしてきた。一九世紀の鉄道、二〇世紀の空調、そして都市そのものをも真似ている。その過程で、たとえば有線網を作らず直接ワイヤレスに向かうなど、進歩の段階をいくつか飛び越す場合もあるけれど、基本的にはすべてを同じようにコピーしている。

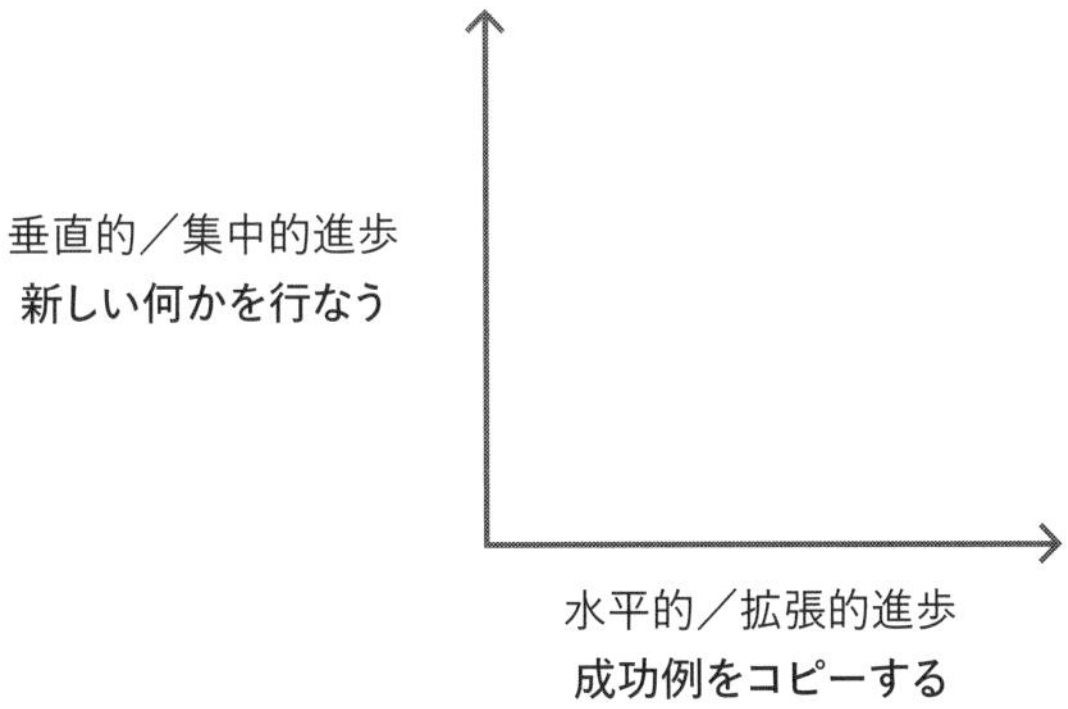
垂直的／集中的進歩
新しい何かを行なう
水平的／拡張的進歩
成功例をコピーする

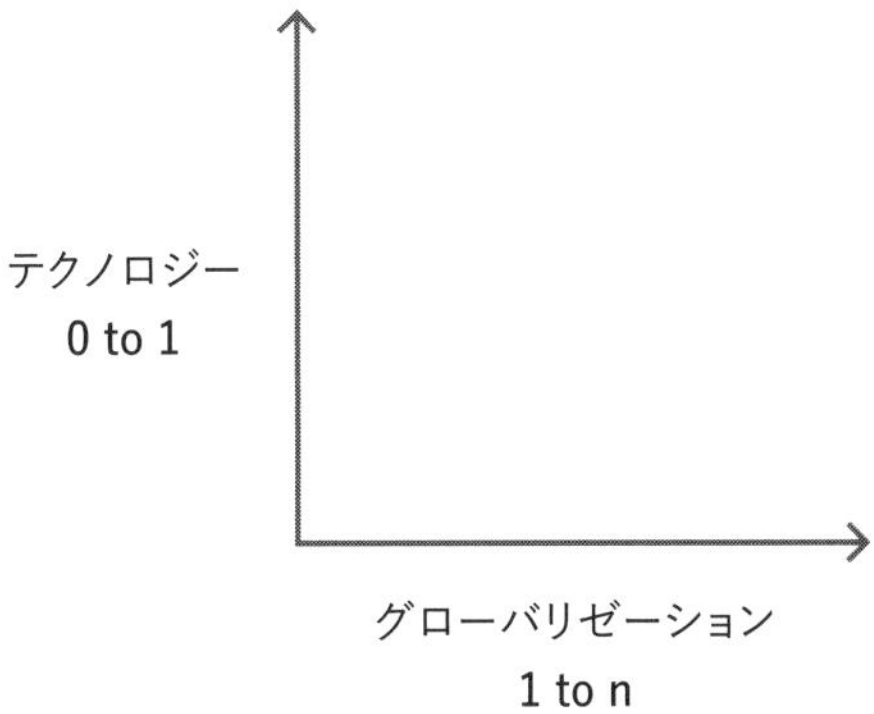
テクノロジー
0 to 1
グローバリゼーション
1 to n

ゼロから1を生み出す垂直的な進歩を一言で表わすと、「テクノロジー」になる。ここ数十年間の情報技術（IT）の急速な進歩から、シリコンバレーが一般的には「テクノロジー」の首都だと見なされるようになった。でも、テクノロジーとはコンピュータに限らない。正しくは、ものごとへの新しい取り組み方、より良い手法はすべてテクノロジーだ。

グローバリゼーションとテクノロジーは異なる進歩の形であり、両方が同時に起きることもあれば、片方だけ進むことも、どちらも起きないこともある。たとえば、一八一五年から一九一四年までは急速な技術革新とグローバリゼーションが同時進行した時代だった。第一次世界大戦からキッシンジャーが中国との国交を再開した一九七一年までは、テクノロジーが急速に進歩した一方でグローバリゼーションはあまり進んでいない。一九七一年以来、グローバリゼーションは急速に進んだけれど、テクノロジーの進歩はほぼIT分野だけに限られている。

このところのグローバリゼーションの進展から考えれば、今後数十年間で世界がより収斂《しゅうれん》し同質化していくと想像してもおかしくない。日々の言葉遣いからも、テクノロジーの進歩が終わりに近いと誰もが信じていることがうかがえる。たとえば、世界をいわゆる「先進国＝発展を終えた国《ディベロップド》」と「新興国＝発展途上にある国《ディベロッピング》」に分ける表現には、「先進国」に途上の余地はなく、貧しい国は先進国に追いつけばそれでいいという意味合いも感じられる。

だけどその思い込みは間違っている。先ほどの逆説的な質問への僕自身の答えは、「ほとんどの人はグローバリゼーションが世界の未来を左右すると思っているけれど、実はテクノロジーの方がはるかに重要だ」というものだ。今のままのテクノロジーで中国が今後二〇年間にエネルギー生産を二倍に増やせば、大気汚染が二倍になってしまう。インドの全世帯が既存のツールだけに頼ってアメリカ人と同じように生活すれば、環境は壊滅されてしまう。これまで富を創造してきた古い手法を世界中に広めれば、生まれるのは富ではなく破壊だ。資源の限られたこの世界で、新たなテクノロジーなきグローバリゼーションは持続不可能だ。

新しいテクノロジーが時間の経過とともに自然に生まれることはない。僕らの祖先は固定的なゼロサム社会に生きていた。そこでの成功とは、他者から何かを奪うことだ。富の源泉はめったに生み出されず、普通の人が極限の生活から抜けだせるほどの富を蓄積することはできなかった。でも原始農耕から中世の風車、そして一六世紀の地球儀までの一万年にわたる断続的な進化を経て、いきなり一七六〇年の蒸気機関の発明から一九七〇年頃までの間に、たて続けに新たなテクノロジーが発明されていく。そのおかげで、僕たちの世代はこれまでのどの世代も想像できないほど豊かな社会を受け継ぐことになった。

といっても、両親と祖父母の世代は例外だった。一九六〇年代の後半にはまだ、このまま進歩が続くはずだと考えられていた。週四日勤務、ただ同然の燃料、月旅行を楽しみにしていた。でもそうはならなかった。スマートフォンで生活が変わったような気になっても、実は周囲の環境は驚くほど昔と変わっていない。前世紀の半ばから劇的に進化したのはコンピュータと通信だけだ。といっても、両親の世代がより良い未来を予想したことが間違っていたわけじゃない。その未来が自動的にやって来ると考えたことが間違っていただけだ。二一世紀をこれまでより平和な繁栄の時代にしてくれる新たなテクノロジーを思い描き、それを創り出すことが、今の僕らに与えられた挑戦なのだ。

スタートアップ思考

新しいテクノロジーを生み出すのは、だいたいベンチャー企業、つまりスタートアップ[*1]だ。政治における建国の父から、科学における王立協会、ビジネスにおけるフェアチャイルド・セミコンダクターの「八人の反逆者[*2]」と呼ばれた創業メンバーまで、より良い世界を作ってきたのは、使命感で結ばれた一握りの人たちだった。その理由はごく単純だ。大組織の中で新しいものは開発しづらく、独りではさらに難しいからだ。官僚的な組織は動きが遅いし、既得権者はリスクを避けたがる。機能不全が極まった組織では、実際に仕事を片付けるよりも鋭意努力中だとアピールする方が昇進しやすい（もし君の会社がそうならば、今すぐ辞めた方がいい）。その対極に

*1　スタートアップ／startup

狭義には新しく起業したベンチャーの中でも特に、テクノロジーによるイノベーションによって新たなビジネスモデルを作り、ベンチャーキャピタルからの資金調達を元手に急成長を目指して、株式公開（IPO）や大企業による買収を狙うもの。

いる孤独な天才は、芸術や文学の名作を生むことはできても、ひとつの産業を丸ごと創造することはできない。スタートアップではチームで働くことが原則で、かつ実際に仕事をやり遂げるにはそれを少人数にとどめる必要がある。

前向きに表現するなら、スタートアップとは、君が世界を変えられると、君自身が説得できた人たちの集まりだ。新しい会社のいちばんの強みは新しい考え方で、少人数なら敏捷に動けることはもちろん、考えるスペースが与えられることが大きな利点になる。本書は、これまでにないビジネスを成功させるために自らに問うべきこと、答えるべきことを提示するものだ。ここに書いたことは、マニュアルでもなければ、知識の羅列でもない、考える訓練だ。なぜなら、それがスタートアップに必要なことだから。従来の考え方を疑い、ビジネスをゼロから考え直そう。

*2　八人の反逆者／the traitorous eight

シリコンバレーとスタートアップ文化の黎明期を築いたと言われる8人の研究者。1957年にショックレー半導体研究所を辞めてフェアチャイルド・セミコンダクターを創業した。その中のロバート・ノイスとゴードン・ムーアが後にインテルを創業。

2 一九九九年のお祭り騒ぎ

「賛成する人のほとんどいない、大切な真実とは?」この逆説的な質問にそのままズバリと答えるのは難しい。そこで、前提から始めてみよう。誰もが賛成することはなんだろう? 「狂気[*1]は個人にあっては稀有なものである。だが集団、党派、国家、時代においては通例である」とニーチェは(狂う前に)書いた。誰もが信じる幻想を見つけたら、その後ろに隠れているものがわかる。それが逆説的な真実だ。

まずは初歩的な原則を考えてみる。「企業は儲けるために存在する。損をするためではない」。

*1 狂気は個人にあっては〜

フリードリッヒ・ニーチェ『善悪の彼岸』(1886年)より

当たり前すぎるほど当たり前のことだ。でも、一九九〇年代の終わりにはそれほど当たり前ではなかった。どれほど大きな損を出しても、それはより明るく素晴らしい未来への投資とされていた。当時のいわゆる「ニューエコノミー[*2]」の常識では、収益というありふれた経済指標よりも、ページビューの方が権威ある先行指標とされていた。

時代遅れの「常識」は、振り返って初めていいかげんで間違っていたことがわかる。常識が崩壊するとかならず、それは「バブル」だったと言われる。でも、バブルが引き起こした歪みは、バブルが弾けても消えない。九〇年代のインターネット・バブルは一九二九年の大恐慌以来、最大の規模だった。その崩壊から学んだ苦い教訓が、今日のテクノロジーについての考え方を、ほとんどすべての面で歪めている。だからまずは、過去についての思い込みを疑うことが、頭の整理の第一歩になる。

九〇年代とはどんな時代だったのか

一九九〇年代にはいいイメージがある。華やかで楽観的な一〇年間で、たまたま最後にインターネット・バブルが来て崩壊したという印象だ。だけど実際には、九〇年代のかなりの期間は

*2　ニューエコノミー／new economy
製造業を中心とするオールドエコノミーに対し、情報通信産業などの新しいビジネスのこと。あるいはそうしたITの活用により景気循環の波を脱し、もはや景気後退はないとする見方。

思い込んでいるほど明るくはなかった。九〇年代の終わりに一八か月続いたドットコムへの熱狂のせいで、当時のグローバルな背景はすっかり忘れられている。

一九八九年一一月にベルリンの壁が崩壊した時の高揚感は、九〇年代の頭にはほぼ消えていた。熱狂は長続きしなかった。一九九〇年の半ばまでにアメリカは不況に陥っていた。公式には九一年三月に景気は底入れしたことになっていたものの、回復は遅く失業率は九二年七月まで悪化し続ける。その後、製造業が完全に立ち直ることはなかった。サービス経済への転換はなかなか進まず、苦しい時期が続いた。

一九九二年から九四年末までは、社会全体に不安が漂っていた。ソマリアで命を落とすアメリカ兵の姿がケーブルニュースで繰り返し映し出された。雇用がメキシコに流出するにつれ、グローバリゼーションとアメリカの競争力への懸念は高まった。こうした暗い情勢を背景にして、四一代ブッシュ大統領は九二年の再選に破れ、ロス・ペローが一般投票の二〇パーセントを獲得した。二大政党以外の候補者としては、一九一二年のセオドア・ルーズベルト以来の高い得票率だった。ニルヴァーナやグランジやヘロインの流行も、希望や自信の表れとは言えない。

シリコンバレーにも停滞感が漂っていた。半導体戦争[*3]を制するのは日本かと思われた。インターネットは一九九二年まで商業的利用が制限されていたこと、また使い勝手のいいブラウザがなかったことで、まだ本格的に普及していなかった。一九八五年に僕がスタンフォードに入

*3　半導体戦争／the semiconductor war

1980〜90年代にかけた日米による半導体分野の覇権争い。日本が86年にシェアを逆転すると、アメリカ側が日本のダンピングを提訴、激しい政府間交渉の末に日米半導体協定が結ばれた。その後93年にはアメリカがシェアを再逆転している。

学した時、いちばん人気の専攻はコンピュータサイエンスではなく経済学だった。ほとんどの大学生はテクノロジー業界を変わり者の集まりか、あか抜けない業界と見なしていた。

そのすべてを変えたのがインターネットだった。一九九三年四月にブラウザのモザイクが正式発表され、誰でもオンラインにアクセスできるようになる。モザイクはネットスケープ[*4]と改名し、一九九四年の終わりにはナビゲーターを発表。ナビゲーターは一気に普及した。一九九五年に二割だった市場シェアは、一二か月もたたずにほぼ八割に達する。一九九五年八月、まだ利益を出してさえいないネットスケープ社が上場を果たす。その株価は五か月で一四ドルから一六〇ドルまで高騰した。ほかのテクノロジー企業もブームを迎えていた。九六年四月にヤフー[*5]が上場、八億四八〇〇万ドルの時価総額をつける。九七年五月にはアマゾン[*6]がそれに続き、四億三八〇〇万ドルの時価総額をつけた。九八年の春までには、それらの株価がすべて四倍以上になっていた。売上倍率や利益倍率が非インターネット企業に比べて高すぎると疑問を唱える懐疑派もいた。市場が狂ったと考えても不思議はなかった。

けれど、市場がおかしいことは理解できても、結論はうやむやになった。九六年一二月、バブル崩壊の三年以上も前、連邦準備制度理事会のアラン・グリーンスパン議長は「根拠なき熱狂」が「資産価格を過度に押し上げている」と警告していた。テクノロジー投資家は確かに熱狂していたけれど、根拠がないとまでは言い切れなかった。当時、海外の雲行きが怪しくなっ

*4　ネットスケープ／Netscape Communications
ジム・クラークとマーク・アンドリーセンらによって1994年に設立され、98年にAOLが買収。機能制限付きのブラウザ「ネットスケープ・ナビゲーター」を無料配布し、機能制限なしの製品版の購入を促す戦略で成功した。

ていたことは人々の記憶にあまり残っていない。

アジア通貨危機が起きたのは九七年七月。タイ、インドネシア、韓国経済は縁故資本主義と莫大な対外負債にクビまで浸かっていた。続く九八年八月、恒常的な財政赤字で身動きの取れなくなったロシアが通貨を切り下げ国債をデフォルトさせたことが、ルーブル危機につながる。アメリカの投資家は一万個の核爆弾を保有する破綻国家に懸念を募らせた。ダウ平均は数日で一〇パーセントを超える下落となる。

懸念は当然だった。ルーブル危機が引き金となって、アメリカを代表する高レバレッジのヘッジファンド、ロングタームキャピタルマネジメント(LTCM)[*7]が破綻。LTCMは九八年後半に四六億ドルの損失を出し、連邦準備制度理事会が超大型救済案をまとめ、システミック・リスクを回避するために金利を引き下げてもまだ、一〇〇〇億ドルを超える負債を抱えていた。ヨーロッパの雲行きも怪しくなっていた。一九九九年一月に発足したユーロには、疑いと反感が根強かった。取引初日には一ドル一九セントに値上がりしたものの、二年間で八三セントまで下げていた。二〇〇〇年の半ば、先進七か国の中央銀行はユーロを下支えするため大型の協調介入を行なわなければならなかった。

一九九八年九月に始まってあっという間に弾けたドットコム・バブルの背景にあったのは、インターネット以外に頼る場所のない世界だった。オールドエコノミーはグローバリゼーション

*5　ヤフー／Yahoo!

1994年にスタンフォード大学在学中のジェリー・ヤンとデビッド・ファイロがカリフォルニア州で創業。現在のCEOはGoogleの元役員のマリッサ・メイヤー。

に対応できなかった。何かがうまく行かなければ、そしてそれが大成功しなければ、明るい未来はない。消去法でいくと、インターネットによるニューエコノミーに頼るしか道はなかった。

ドットコム・バブル　一九九八年九月―二〇〇〇年三月

ドットコム・バブルは強烈かつ短命に終わる。一九九八年九月から二〇〇〇年三月までの、わずか一八か月の狂騒。それはシリコンバレーのゴールドラッシュだった。そこかしこに資金が溢れ、大勢のにわか熱血起業家がそのカネに群がっていた。毎週数十社ものスタートアップが競い合うように派手な立ち上げ《ローンチ》パーティーを開いていた（実際の成功を祝うパーティーはめったになかったが）。ペーパー億万長者は大盤振る舞いで飲み食いを重ね、そのつけをスタートアップの株式で支払おうとした――それが通用することさえあった。高給な仕事を捨て、起業したりスタートアップに転職したりする人間は後を絶たなかった。僕の知り合いの四〇代の大学院生は、一九九九年に六つの会社を経営していた（普通なら四〇にもなってまだ大学院にいるなんて妙だ。しかも一度に六つの会社を立ち上げるなんて、どう考えてもおかしい。だけど、九〇年代の後半には、それを勝ち組だと信じる人たちもいた）。そんな狂騒が続かないことは誰にでもわかりそうなものだ。い

***6　アマゾン／Amazon.com**

1994年にジェフ・ベゾスがワシントン州で創業。97年NASDAQに上場。99年にベゾスはタイム誌の「今年の人」になる。99年末から2000年末には一時株価が90%下落しているが、現在は世界最大のオンラインショッピングサイト。

わゆる「勝ち組」企業のほとんどは、成長すればするほど損が出るという、ある種の逆ビジネスモデルを抱えていたのだから。とはいえ、音楽に合わせて踊っている人を責めるわけにはいかない。ドットコムという名がつけば価値が一晩で倍になった時代には、そんな不合理こそが合理的だった。

ペイパルに群がった投資家たち

ペイパル[*8]を経営していた一九九九年の終わり頃、僕は相当にびびっていた。自分の会社を信じていなかったからではなく、シリコンバレーでは周りの誰もがなんでも手放しで信じているように見えたからだ。右を向いても左を向いて

ドットコム・バブル

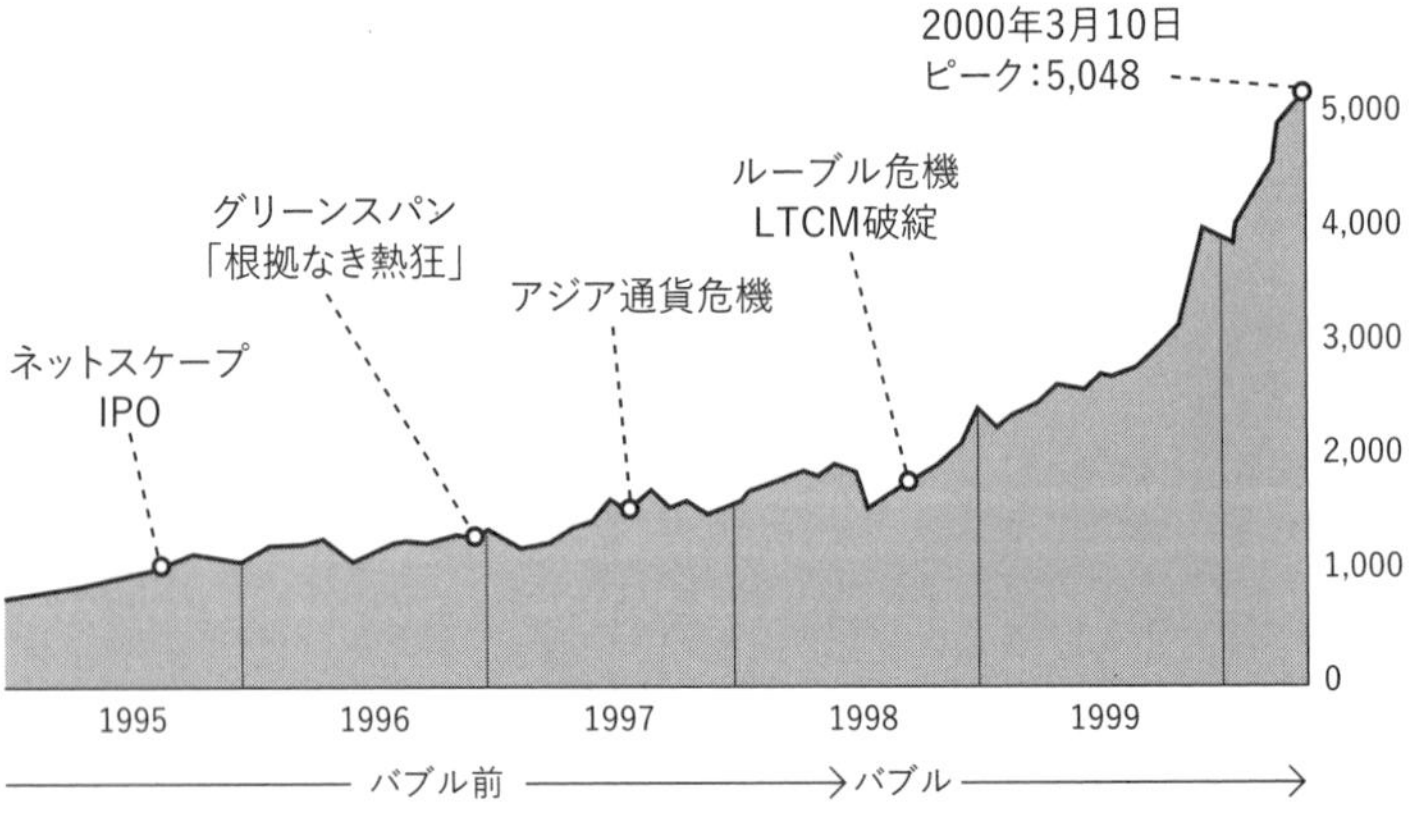

*7　ヘッジファンド／hedge fund

主に私募により機関投資家や富裕層から集めた資金を金融派生商品などで運用し利益を追求する投資組織。ティールは2002年よりクラリアム・キャピタル・マネジメントというグローバル・マクロ戦略のヘッジファンドを運用している。

も、誰もがいとも気軽に会社を立ち上げ、速攻で売却していた。まだ会社すら設立していないのに、自宅のリビングルームで上場を計画している知り合いもいた。しかも、それをおかしいとも思っていなかった。そんな中では、まともな振る舞いが奇妙に映った。

少なくとも、ペイパルには身の丈にあった、偉大な使命があった。バブル後だったら大言壮語だと批判されそうな類いのものだ。僕たちはドルに代わる新たなインターネット通貨を創ろうとしていた。最初に立ち上げたのは、パームパイロット[*9]間の決済サービスだ。だけど、このサービスは誰の役にも立たず、使ってみたのはこれを一九九九年の最悪なビジネスアイデア10選に選んだジャーナリストくらいのものだった。当時パームパイロットはまだ珍しかったし、一方で電子メールはすでに普及していたので、僕らはメール経由の決済サービスを開発することにした。

一九九九年秋までには、メール決済サービスが順調に立ち上がり、サイトにログインすれば、誰でも簡単に送金ができた。でもユーザーの数が足りず、成長スピードは遅く、出費は膨らんでいた。ペイパルを軌道に乗せるには、クリティカルマス[*10]として最低一〇〇万ユーザーが必要だった。広告は費用の割に効率が悪すぎた。大手銀行との提携話も立ち消えになっていた。そこで金を払って加入してもらうことにした。

新規加入者に一〇ドルをキャッシュバックし、お友だち紹介にさらに一〇ドルを支払った。こ

*8　ペイパル／PayPal

1998年にティールとマックス・レヴチンらがカルフォルニア州パロアルトで創業したコンフィニティで開発された、インターネットを利用する決済サービス。コンフィニティはのちにイーロン・マスクのXドットコムと合併しペイパル社となる。

れで数十万の新規加入者を獲得し、成長は急加速した。もちろん、このやり方はいつまでも続かない。金を払ってユーザーを獲得しているのだから、成長がうなぎ上りならコストもまたうなぎ上りだ。当時のシリコンバレーでは、狂ったように費用をかけるのが普通だった。そして、僕たちはそれをおかしいとは思わなかった。大きなユーザーベースを獲得すれば、少額の決済手数料で利益が出せるはずだ。

その目標に達するには、さらに資金が必要だった。バブルがいつか終わることもわかっていた。バブルが弾けても僕たちの使命を信じてくれる投資家がいるとは思えなかったので、できるうちにと資金調達を急いだ。二〇〇〇年二月一六日、ウォール・ストリート・ジャーナルは僕たちのバイラル[*11]な成長戦略を賞賛し、ペイパルの価値を五億ドルと見積もる記事を載せた。主要投資家はウォール・ストリート・ジャーナルのラフな評価をお墨付きと受け止め、翌月に僕たちは一億ドルを調達できた（それよりもまだせっかちな投資家もいた。ある韓国企業などは、交渉もせず書類も交わさずにいきなり五〇〇万ドルを送りつけてきた。返金しようとしたが、口座を教えてくれなかった）。その二〇〇〇年三月の資金調達のおかげで僕たちはペイパルの成功に必要な時間を稼ぐことができた。僕たちが資金調達を終えると同時にバブルが弾けた。

*9　パームパイロット／PalmPilot

Palm社により1996年に発売された携帯情報端末。のちにパーム（Palm）に改称。2010年にヒューレット・パッカードの完全子会社となる。

バブルの苦い薬

二〇〇〇年になったとたんにパーティーは終わるんだ！　もう時間切れ！
だから今夜は一九九九年みたいに騒ごうぜ！
――プリンス

ナスダック[*12]は二〇〇〇年三月半ばに五〇四八ポイントの最高値を記録し、四月半ばには三三二一ポイントまで暴落した。二〇〇二年一〇月に一一一四ポイントの底値を打つ頃には、市場の崩壊は九〇年代のテクノロジー楽観主義に対する天罰だというのがもはや定説となっていた。「希望に溢れた時代」は「狂った強欲の時代」として上書きされ、完全に終わったものと見なされた。

人は未来を誰にも予想できないものとして受け

ドットコム・バブル崩壊

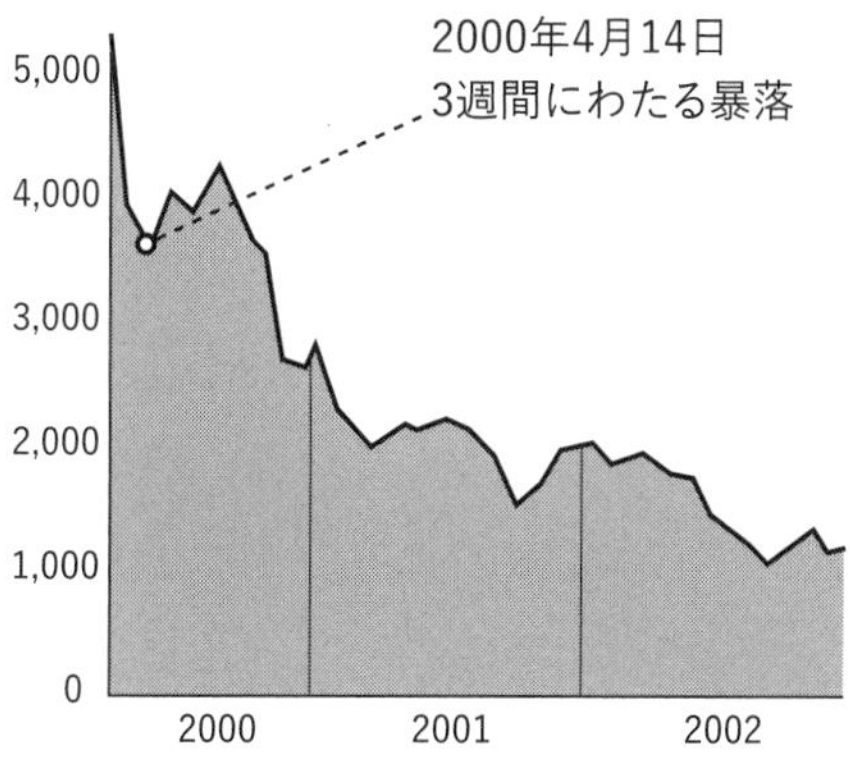

*10　クリティカルマス／critical mass
ある商品やサービスの普及率が急速に上がるために、最低限必要とされる供給量、市場普及率。

入れるようになり、四半期ではなく数年先にしか評価の出ないような長期計画を立てる起業家は変人と思われて相手にされなくなった。テクノロジーに代わってグローバリゼーションが未来の希望になった。九〇年代の「れんが《ブリック》からクリックへ」の転換は期待外れに終わり、投資家はふたたびブリック（住宅）とBRICs（グローバリゼーション）に戻っていった。それがまた別のバブルを引き起こした。今度は不動産だ。

シリコンバレーに居残った起業家は、ドットコム・バブルの崩壊から四つの大きな教訓を学んだ。それがいまだにビジネスを考える時の大前提となっている。

1　少しずつ段階的に前進すること　壮大なビジョンがバブルを膨張させた。だから、自分に酔ってはいけない。大口を叩く人間は怪しいし、世界を変えたいなら謙虚でなければならない。小さく段階的な歩みだけが、安全な道だ。

2　無駄なく柔軟であること　すべての企業は「リーン」[*13]でなければならず、それはすなわち「計画しない」ことである。ビジネスの先行きは誰にもわからない。計画を立てるのは傲慢であり、柔軟性に欠ける。むしろ、試行錯誤を繰り返し、先の見えない実験として起業を扱うべきだ。

*11　バイラル／viral

原義は「ウイルス性の」。商品やサービスが口コミ、特にネット上のSNSなどによって急速に拡散していく仕掛け、マーケティング手法。

3 **ライバルのものを改良すること**　機が熟さないうちに新しい市場を創ろうとしてはならない。本当に商売になるかどうかを知るには、既存顧客のいる市場から始めるしかない。つまり成功しているライバルの人気商品を改良することから始めるべきだ。

4 **販売ではなくプロダクトに集中すること**　販売のために広告や営業が必要だとしたら、プロダクトに問題がある。テクノロジーは製品開発にこそ活かされるべきで、販売は二の次でいい。バブル時代の広告は明らかな浪費だった。バイラルな成長だけが持続可能なのだ。

これらの教訓は、スタートアップ界の戒律となった。それを無視すると、二〇〇〇年のハイテク・バブルの二の舞になると考えられている。**でも、むしろ正しいのは、それとは逆の原則だ。**

1 **小さな違いを追いかけるより大胆に賭けた方がいい**
2 **出来の悪い計画でも、ないよりはいい**
3 **競争の激しい市場では収益が消失する**
4 **販売はプロダクトと同じくらい大切だ**

*12　ナスダック／NASDAQ

全米証券業協会により1971年に開設された新興企業向け株式市場。ハイテクおよびネット関連企業が数多く上場している。

テクノロジー業界にバブルが存在したことは事実だ。九〇年代の終わりは不遜の時代だった——人々はゼロを1にできると信じていた。だけど実際にそれができたスタートアップはあまりに少なかったし、多くが口だけに終わっていた。それでも、少ないリソースでより多くを生み出す道を探さなければ未来はないと、みんなが感じていた。二〇〇〇年三月の市場の最高値は明らかに狂気のピークだった。でもそれがもっと大切な、明確な目標を持った時代のピークでもあったことに、多くの人は気づいていない。人々は遠い未来を見つめ、そこに確実に到達するためにどれほどの価値ある新しいテクノロジーが必要かを見極め、それを創り出す能力が自分たちにはあるのだと判断していた。

僕たちは今も新たなテクノロジーを必要としているけれど、それを手に入れるには一九九九年的な尊大さと熱気が少しはあっていいのかもしれない。次世代の企業を築くには、バブル後に刷り込まれた教義を捨てなければならない。ただし、すべてを逆にすればうまくいくというわけでもない。イデオロギーを否定したところで、群衆の狂気から逃れられるとは限らない。むしろ、こう自問するべきだ。ビジネスについて、過去の失敗への間違った反省から生まれた認識はどれか。何よりの逆張りは、大勢の意見に反対することではなく、自分の頭で考えることだ。

*13　リーン／lean
「贅肉がなく細い／ムダを省き効率的」の意。エリック・リースが提唱した「リーン・スタートアップ」は、消費者の需要を探るため必要な最小限のプロセス（仮説構築、製品実装、軌道修正）を繰り返しながらプロダクトを改良するビジネス開発手法。

3 幸福な企業はみなそれぞれに違う

例の逆説的な質問をビジネスに当てはめるとこうなる。「**誰も築いていない、価値ある企業とはどんな企業だろう？**」この質問もまた見かけより難しい。というのも、大きな価値を生み出すだけなら、企業自体が価値ある存在でなくても可能だからだ。企業は価値を創造するだけでなく、創造した価値の一部を社内にとどめなければならない。

つまりこういうことだ。事業規模が巨大でも、ダメな企業は存在する。たとえば、アメリカの航空会社は数百万の乗客を運び、金額にすると毎年数千億ドルもの価値を創造している。でも二〇一二年には、平均の片道運賃一七八ドルのうち、航空会社の取り分はわずか三七セントだった。グーグル[*1]の創造する価値はそれより少ないけれど、自社の取り分ははるかに多い。二〇一二年、グーグルは五〇〇億ドルを売り上げ（航空会社は一六〇〇億ドルを売り上げている）、その二一パーセントを利益として計上している。それは、同じ年に航空業界が上げた利益率の一〇〇倍以上にもなる。グーグルの収益性は極めて高く、現在の時価総額は、アメリカの航空会社合計の三倍にものぼる。

　航空会社はお互いがライバルだけれど、グーグルにはそうした相手がいない。経済学者はその違いを説明するのに単純化された二つの図式を使う。完全競争と独占だ。

「完全競争」は、経済学の教科書において理想的なデフォルトの状態とされている。いわゆる完全競争市場とは、需要と供給が一致し、均衡状態に達した市場だ。ここでは企業間の差別化は存在せず、売り手はまったく同一の製品を販売している。どの企業も市場への影響力はなく、市場が価格を決定する。利益機会が生じると、新規企業が参入し、供給が増えて価格が下がるため、参入者の目論んだ利益機会は消滅する。参入企業の数が増えすぎると損失が生まれ、一部の企業が撤退することで価格はもとに戻る。**完全競争下では長期的に利益を出す企業は存在しない。**

　完全競争の反対が独占だ。完全競争下の企業が市場価格を強いられる一方で、独占企業は市

*1　グーグル／Google
1998年に当時スタンフォード大学博士課程に在籍中のラリー・ペイジとセルゲイ・ブリンがカリフォルニア州メンロパークにある友人のアパートで創業。

場を支配しているため自由に価格を設定できる。競争がないので、独占企業は生産量と価格を調整して利益の最大化を図る。

経済学者から見ると、独占企業はどれも同じに見える。不正にライバルを蹴落としていようが、国から既得権を得ていようが、イノベーションによってトップに登ろうが、変わらない。本書では、不法に他社を妨害する企業や政府のお抱え企業について触れるつもりはない。「独占企業」と言う場合、それは他社とは替えがきかないほど、そのビジネスに優れた企業という意味だ。グーグルは、ゼロから1を生んだ企業の好例だろう。マイクロソフト[*2]とヤフーを完全に引き離した二〇〇〇年代のはじめから、検索分野でグーグルにライバルはいない。

アメリカ人は競争を崇拝し、競争のおかげで社会主義国と違って自分たちは配給の列に並ばずにすむのだと思っている。でも実際には、資本主義と競争は対極にある。資本主義は資本の蓄積を前提に成り立つのに、完全競争下ではすべての収益が消滅する。だから起業家ならこう肝に銘じるべきだ。**永続的な価値を創造してそれを取り込むためには、差別化のないコモディティ[*3]・ビジネスを行なってはならない。**

*2　マイクロソフト／ Microsoft

1975年にハーバード大学を休学したビル・ゲイツとプログラマーとして働いていたハネウェル社を辞めたポール・アレンがニューメキシコ州アルバカーキで創業。

まことしやかな嘘

では実際に、世の中はどれだけ独占されているのだろう？　どこまでが真の競争市場だろう？　ここまで、と言い切るのは難しい。というのも、この話題については一般的に多くの誤解がある。外から見ると、どの会社も似通っていて、あまり違いがないように見えるからだ。

でも、現実には二極化がはるかに進んでいる。完全競争と独占の間には天と地ほどの差があって、ほとんどの企業は僕たちが思うよりも、どちらか一方に偏っている。

なぜ誤解があるかというと、どちらのタイプの企業も自分たちに都合のいいように市場環境を語る傾向があるからだ。独占企業も競争企業も、真実を曲げる方が都合がいい。

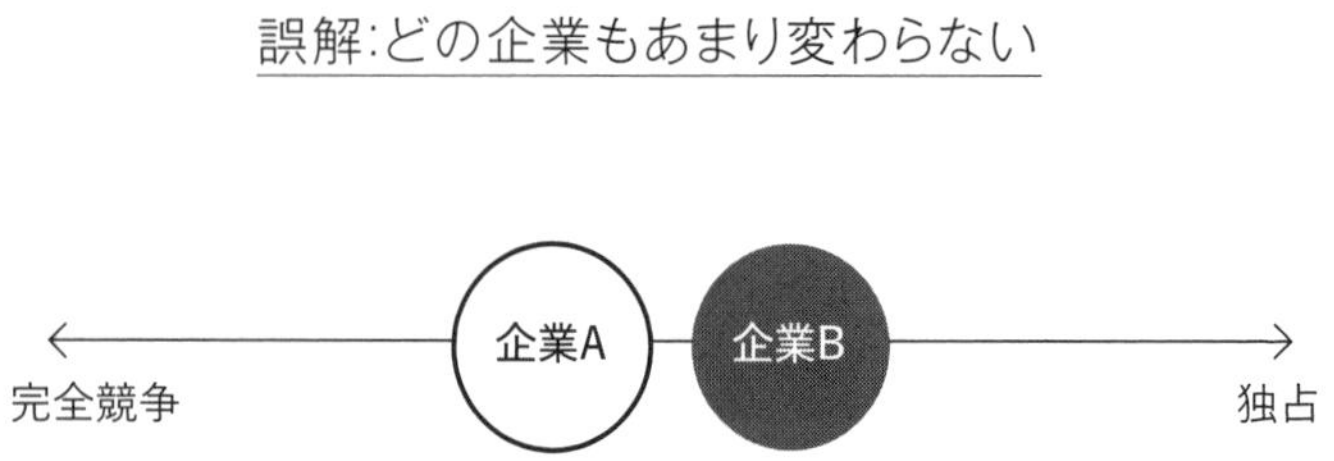

*3　コモディティ／commodity

必需品、日用品、商品の意。いわゆるコモディティ化とは、ある製品カテゴリ中の商品において、メーカーごとの機能や品質の差違が均質化し、消費者にとっての商品選択の基準が販売価格しかなくなることで、低価格化が起こること。

独占企業の嘘

独占企業は自分を守るために嘘をつく。独占を吹聴すれば、監査や詮索や批判を招いてしまうからだ。何がなんでも独占利益を守り続けるために、どんな手を使ってでも独占を隠そうとする。その常套手段は、存在しないライバルの力を誇張することだ。

グーグルが自分たちのビジネスをどう語っているかを考えてみよう。もちろん自分から独占を認めることはない。だけど実際はどうだろう？　答えは見方によって変わる。つまり、どの分野の独占か、ということだ。仮に、グーグルは検索エンジン企業だということにしよう。二〇一四年一月時点で、グーグルは検索市場の六八パーセントを支配している（二番手、三番手のマイクロソフトとヤフーはそれぞれ一九パーセントと一〇パーセントだ）。それでもまだ独占ではないと思うなら、

現実:大きな違いがある

「グーグル」はオックスフォード英語辞典に正式な動詞として載っていることを考えてほしい。ビング*4がそうならないことは火を見るより明らかだ。

　では次に、グーグルは広告会社だと考えてみよう。すると構図が変わる。アメリカの検索広告市場の年間規模は一七〇億ドルだ。オンライン広告全体では三七〇億ドルになる。アメリカ国内の広告市場は一五〇〇億ドル。全世界の広告市場は四九五〇億ドルだ。だから、グーグルがアメリカの検索広告を完全に独占したとしても、グローバルな広告市場でのシェアは三・四パーセントとなる。この構図からは、グーグルが競争市場の小さなプレーヤーに見える。

　今度は、グーグルを多角的テクノロジー

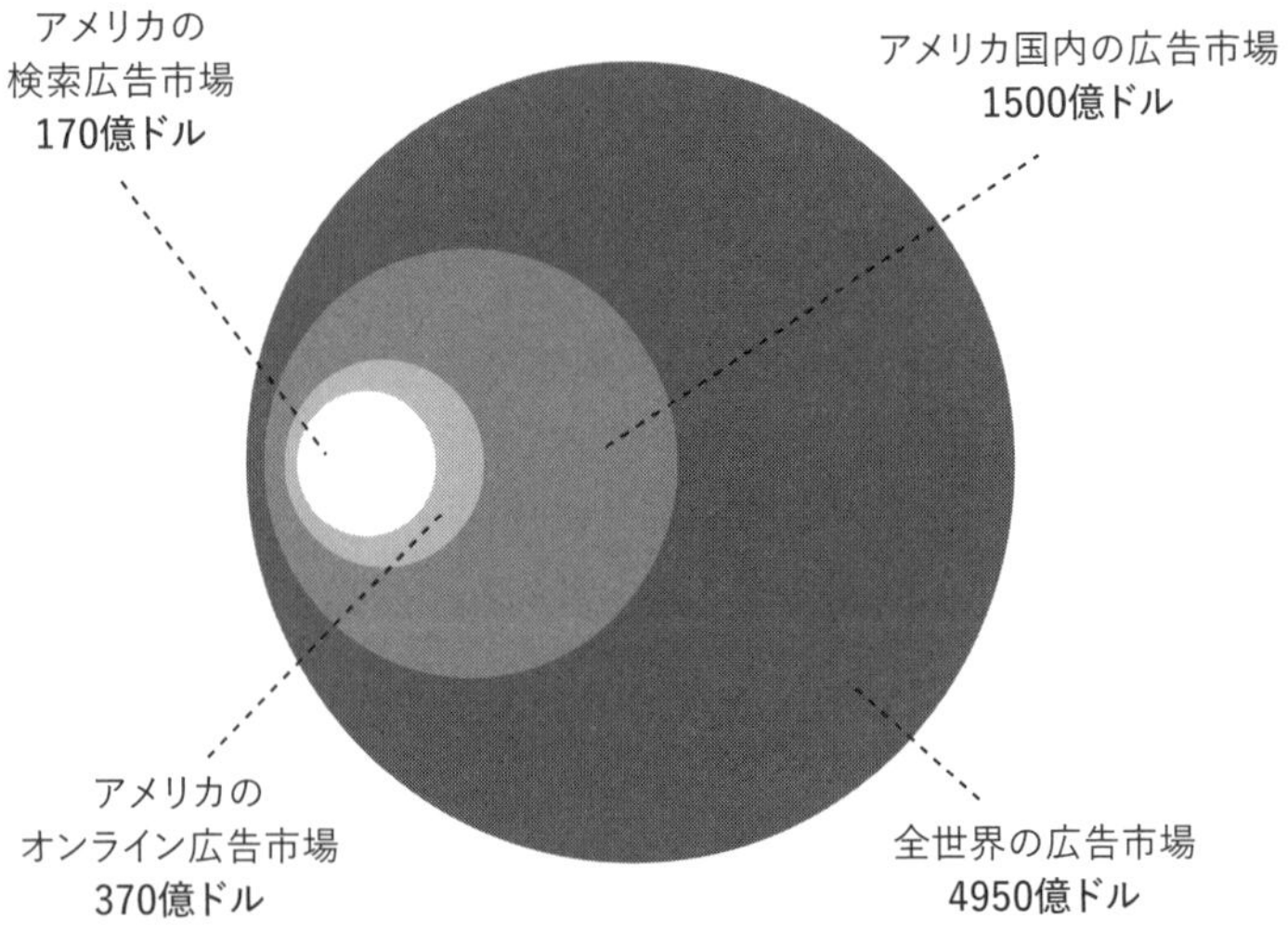

*4　ビング／Bing

Microsoftが2009年から提供する検索エンジン。その前身であるMSNサーチは1998年にスタートしている。

企業と見たらどうなるだろう？　そう見てもあながち的外れじゃない。グーグルは検索エンジンのほかにも、多くのソフトウェア、自動運転車《グーグルカー》[5]、アンドロイド携帯、ウェアラブルコンピュータ[6]などを開発している。しかし、売り上げの九五パーセントは検索広告によるものだ。二〇一二年の「その他製品」の売り上げは二三億五〇〇〇万ドルで、消費者向けテクノロジー製品はそのほんの一部にすぎない。グローバルなコンピュータ製品の市場規模は九六四〇億ドルなので、グーグルのシェアは〇・二四パーセントに満たない。独占どころか、プレーヤーとも言えないレベルだ。テクノロジー企業の一社として自分を位置づければ、グーグルは余計な関心を引かずにすむ。

競争企業の嘘

非独占企業は反対の嘘をつく――「この市場には自分たちしかいない」と。起業家はたいてい競争範囲を甘く見積もりがちで、スタートアップにとってはそれが命取りになる。彼らは自分の市場を極端に狭く限定し、まるで自分たちが市場を支配しているかのように考えたがる。

たとえば、パロアルト[7]でイギリス料理のレストランを開店するとしよう。「誰もやってないから」というもっともな理由からだ。これなら、市場を「独占」できる。ただし、それは市場がイギリス料理に限定されるならという話だ。実際の市場はパロアルトのレストランすべてだと

*5　自動運転車／Google Car

人工知能を備え、ハンドルやアクセル／ブレーキなどがなく自動運転する。2009年に開発を始め、14年に試作車を初めて公開、20年頃の実用化を目指している。

したら？　パロアルトだけではなく近郊のレストランもすべて入るとしたらどうだろう？

こうした質問に答えるのは難しい。でも、こうした問いを発しないとしたら、もっと問題だ。新しいレストランのほとんどが一、二年以内に潰れると聞けば、オーナーはまず、自分のレストランだけは違う理由を見つけようとする。自分だけは特別だと周囲に納得させることに時間を使い、それが事実かどうかを真剣に考えようとしない。だけど、一旦立ち止まって、世界中のどんな料理よりもイギリス料理が好きな人が、本当にパロアルトにいるのかを考えてみるべきだ。いないという可能性だって充分にあるのだから。

二〇〇一年、僕とペイパルの仲間たちは、マウンテンビュー[*8]のカストロ街でしょっちゅう昼食を食べていた。インド料理、お寿司、ハンバーガーといった中で、まず何にするかを決める。種類が決まると、その中でさらに多くの選択肢がある。北インドか南インドか、カジュアルかフォーマルか、などだ。地元のレストラン市場とは対照的に、メール決済サービスを提供する企業は世界中でペイパルだけだった。カストロ街のレストランより従業員数は少なかったけれど、地元のレストランをすべて合わせたよりも企業価値は高かった。南インド料理のレストランを開いても、なかなかお金は儲からない。おばあさん秘伝のレシピで作ったナンがいくらおいしいからといっても、競争の現実に目を向けず、ささいな差別化に力を注ぐだけでは、生き残りは難しい。

*6　ウェアラブルコンピュータ／wearable computer

スマートグラスやスマートウォッチなど、身につけて利用するコンピュータ。Googleが開発中の「グーグル・グラス」などが有名。

クリエイティブ業界にも同じことが言える。自分の作品を古い企画の焼き直しだと認める脚本家はいない。「さまざまなエキサイティングな要素をまったく新しい形で組み合わせた映画」として売り込むはずだ。しかもそれは本当かもしれない。たとえば、『サイバーネット』[*9]と『ジョーズ』を足して二で割ったものにジェイ・Zが出演するとしよう。エリートのハッカー集団にラップスターが加わって、友だちを殺したサメを捕まえる映画だ。確かにこれまでにないものになる。ただ、パロアルトにイギリス料理店がなくてもいいように、そんな映画もなくていいだろう。

非独占企業は、さまざまな小さな市場が交差する場所を自分たちの市場と位置付けることで、自社の独自性を誇張する。

イギリス料理　∩　レストラン　∩　パロアルト
ラップスター　∩　サイバーネット　∩　ジョーズ

反対に、独占企業は自分たちの市場をいくつかの大きな市場の総和と定義づけることで、独占的地位をカモフラージュしている。

*7　パロアルト／ Palo Alto
シリコンバレーの北端部に位置する都市で、スタンフォード大学およびヒューレット・パッカードやFacebookの本社、パロアルト研究所などハイテク企業の本拠地。

検索エンジン ∪ 携帯電話 ∪ ウェアラブルコンピュータ
コンピュータ ∪ 自動運転車

独占企業は、実際にどんな総和のストーリーを語っているのだろう？ グーグル会長のエリック・シュミットは二〇一一年の議会聴聞会で、こう証言していた。

消費者が情報へのさまざまなアクセス手段を持つ、極めて厳しい競争環境に私たちは直面しています。

平たく言うと、こういう意味だ。

グーグルは大きな池の中の雑魚にすぎません。いつ誰かに飲み込まれてもおかしくないのです。政府に目をつけられるような独占企業ではありません。

追い詰められた人たち

*8 マウンテンビュー／Mountain View
シリコンバレーの中心に位置する都市で、パロアルトとは北西で接する。Googleの本社がある。

競争的なビジネスには、利益が出ないことよりも大きな問題がある。仮に、君がマウンテンビューでレストランを経営しているとしよう。同じようなレストランが数多くある中で、必死に闘わなければ生き残れない。利の薄い手頃な値段の店では、おそらく従業員に最低賃金を払うのが精一杯だろう。少しの無駄も許されない。だから、小さなレストランではおばあさんがレジを務め、子どもたちが厨房で皿を洗っている。高級レストランなら楽かといえば、そうでもない。ミシュランに代表される評価やレビューによって競争はさらに激化し、シェフたちは狂気に駆り立てられる（ミシュランの三ツ星を獲得したフランス料理のシェフ、ベルナール・ロワゾーはこう言ったそうだ。「星をひとつでも無くしたら自殺する」。ミシュランは評価を変えなかったが、別のガイドブックが彼のレストランを格下げしたため、ロワゾーは命を絶った）。競争的な生態系は人々を追い詰め、死に追いやることもある。

グーグルのような独占企業は違う。ライバルを気にする必要がないため、社員やプロダクトや広い社会への影響を考える余裕がある。グーグルのモットーは「邪悪になるな」だ。それはブランディングの一種だとはいえ、潰れることなど考えずに倫理について真剣に考える余裕があるという証しでもある。カネのことしか考えられない企業と、カネ以外のことも考えられる企業とでは、ものすごい違いがある。独占企業は金儲け以外のことを考える余裕がある。非独

*9　『サイバーネット』／*Hackers*

1995年公開の米映画。監督イアン・ソフトリー、主演ジョニー・リー・ミラー、アンジェリーナ・ジョリー。

占企業にその余裕はない。完全競争下の企業は目先の利益を追うのに精一杯で、長期的な未来に備える余裕はない。生き残りを賭けた厳しい闘いからの脱却を可能にするものは、ただひとつ——独占的利益だ。

独占的資本主義

独占がその中にいる人たちにとっていいことはわかった。では外の人たちにとってはどうだろう？　莫大な利益は社会の犠牲の上に成り立っているのでは？　答えはイエス。利益は消費者の財布から来るもので、独占企業は責められて当然だ。ただし、**そう言えるのは世界がまったく変化しない場合だけだ。**

変化のない世界では、独占企業はショバ代を徴収する存在でしかない。市場を独占すれば、自由に価格を上げることができる。買い手に選択肢はない。卓上ゲームのモノポリーと同じだ——プレーヤーによって打つ手は変わっても、ボードは変わらない。プレーヤーがより優良な不動産を開発できるわけでもない。不動産の相対価格は決まっていて、プレーヤーはそれを買い取ることしかできない。

一方、現実の世界は常に変化している——僕たちは新しいものやより良いものを発明することができる。クリエイティブな独占企業は、まったく新しい潤沢な領域を生み出すことで、消費者により多くの選択肢を与えている。クリエイティブな独占は社会に役立つだけじゃない。それはより良い社会を作る強力な原動力になっている。

政府でさえ、そのことを認識している。だからこそ、独占企業を取り締まる一方で（独占禁止法違反を訴追して）、独占を生み出すための政府機関が存在する（発明を特許で守る）。携帯アプリのデザインを最初に思いついたからといって、それに法的保護を与えていいかは疑わしい。でも、iPhoneのデザイン、生産、マーケティングによって生み出されたアップルの独占的利益は、社会に潤沢さをもたらした見返りであって、人為的に作られた稀少性から得られたものでないことは明らかだ。消費者は、高い値段を払っても欲しいと思えるスマートフォンを選ぶ自由を手に入れたのだから。

新たな独占が起こるそのダイナミズムを見れば、過去の独占がイノベーションを阻害していないことがわかる。アップルのｉＯＳがリードするモバイル・コンピューティングの台頭で、マイクロソフトの長年にわたるＯＳ市場の独占は大きく崩れた。それ以前に、六〇年代と七〇年代のＩＢＭによるハードウェアの独占を奪ったのはマイクロソフトによるソフトウェアの独占だった。ＡＴ＆Ｔは二〇世紀のほとんどの間、電話市場を独占していたけれど、今では誰でも数ある通信会社の中から安い携帯プランを選ぶことができる。もし独占企業に進歩を妨げる傾向があるなら、独占は危険だし、それに反対するのはもっともだ。でも、進歩の歴史とは、より良い独占企業が既存企業に取って代わってきた歴史なのだ。

独占は進歩の原動力となる。なぜなら、何年間、あるいは何十年間にわたる独占を約束されることが、イノベーションへの強力なインセンティブとなるからだ。その上、独占企業はイノベーションを起こし続けることができる。彼らには長期計画を立てる余裕と、競争に追われる企業には想像もできないほど野心的な研究開発を支える資金があるからだ。

では、なぜ経済学者は競争を理想的な状態だと説くのだろう？　それには歴史的な経緯がある。経済学の数式は一九世紀の物理学の理論をそのまま模倣したものだ。経済学者は、個人と企業を独自の創造者ではなく、交換可能な原子と見なす。経済理論が完全競争の均衡状態を理想とするのは、モデル化が簡単だからであって、それがビジネスにとって最善だからじゃない。一九世紀の物理学が予測した長期均衡とは、すべてのエネルギーが均等に分布し、あらゆるものが静止した状態——いわゆる宇宙の熱的死だ。熱力学をどう考えるかはさておき、これは強烈な喩えで、ビジネスにおいて均衡は静止状態を意味し、静止状態は死を意味する。競争均衡にある業界では、一企業の死はなんの重要性も持たない。かならず同じようなライバルがその企業に替わるからだ。

宇宙のほとんどを占める真空は完全均衡によって説明できるだろう。多くのビジネスにも、それが当てはまるかもしれない。でも、新しい何かが創造される場は、均衡とはほど遠い。経済理論の当てはまらない現実世界では、他社のできないことをどれだけできるかで、成功の度合いが決まる。つまり、独占は異変でも例外でもない。**独占は、すべての成功企業の条件なのだ。**

トルストイは『アンナ・カレーニナ』の冒頭にこう綴った。「幸福な家族はみな似かよっているが、不幸な家族はみなそれぞれに違っている」。企業の場合は反対だ。幸福な企業はみな違っている。それぞれが独自の問題を解決することで、独占を勝ち取っている。不幸な企業はみな同じだ。彼らは競争から抜け出せずにいる。

4 イデオロギーとしての競争

クリエイティブな独占環境では、社会に役立つ新製品が開発され、クリエイターに持続的な利益がもたらされる。競争環境では、誰も得をせず、たいした差別化も生まれず、みんなが生き残りに苦しむことになる。それなら、なぜ人は競争を健全だと思い込んでいるのだろう？　それは、競争が単なる経済概念でもなければ、市場において人や企業が対処すべきただのやっかいごとでもないからだ。何よりも、競争とはイデオロギーなのだ。社会に浸透し、僕たちの思考を歪めているのが、まさにこのイデオロギーだ。僕たちは競争を説き、その必要性を正当化し、その教義を実践する。その結果、自分自身が競争の中に捕らわれてしまう——競争すればするほど得られるものは減っていくのに。

それはわかりきったことなのに、僕たちはそれを無視するように刷り込まれる。アメリカの教育システムは競争への強迫観念を反映しているし、それを煽っている。学生の競争力を成績ではっきりと評価し、最も成績のいい生徒はステータスと信任を得る。個人の才能や志向に関係なく、全員に同じ教科を同じように教える。じっと机についているのが苦手な生徒は劣等感を覚え、テストや宿題に秀でた子どもは現実から離れた学校という狭い世界でアイデンティティを確立することになる。

トーナメントを勝ち進むにつれて、それはますますひどくなる。エリート学生はやる気満々で階段を昇り続けるけれど、ある時点で競争に敗れ夢が砕かれる。高校時代には大きな夢を持っていても、大学では同じく優秀な学生がコンサルティングや投資銀行といった、いわゆる一流の就職先を目指してしのぎを削る中に埋没してしまう。みんなと同じになるために、学生（あるいはその家族）は、インフレ以上に値上がりを続ける、何万ドルもの学費を支払っている。なぜ僕たちはそんなことをしているのだろう？

僕自身、若い時にそう自問しておくべきだった。僕は決まりきった道を歩んだ。八年生のアルバムに僕が飛び級してスタンフォードに入るだろうと書いた同級生の予想は的中し、僕は四年後にスタンフォードに二年生として入学した。大学でも良い成績を取り、スタンフォードロースクールに入学し、そこでいわゆる「成功」を目指してさらに激しく競い合った。ロースクールの学生の世界で何を一等賞と見なすかは定かでないけれど、何万人という卒業生の中で最高裁の法務事務官になれるのは数十人だ。僕は連邦控訴裁判所の法務事務官を一年務めたあと、ケネディ判事とスカリア判事の事務官の面接に呼ばれた。どちらの面接もうまくいった。最後の競争に勝つまであと少しだった。もし最高裁の法務事務官になれたら、人生安泰だと思っていた。でも、僕はなれなかった。その時は死ぬほど落ち込んだ。

ペイパルを売却した後の二〇〇四年、以前に事務官への就職活動を手助けしてくれたロースクール時代の友人に偶然出くわした。ほぼ一〇年ぶりだった。彼の挨拶は「元気かい？」でもなく「しばらくぶりだな」でもなかった。ニヤリと笑ってこう言ったのだ。「ピーター、事務官にならなくて良かったたな」。振り返って初めて言えることだけれど、究極の競争に勝っていたら僕の人生は悪い方向に変わっていたことを、彼も僕も認めていた。もし最高裁の法務事務官になっていたら、おそらく証言を録音したり他人の事業案件の草案を書いたりして一生を過ごしていただろう。新しい何かを創り出すことはなかったはずだ。どれほど違っていたかはなんとも言えないけれど、その機会損失は莫大なものになっていただろう。

戦争と平和

大学教授は学問の世界の熾烈な競争を軽く扱うが、ビジネスマンはビジネスを戦争にたとえるのが好きでたまらないようだ。MBAの学生はクラウゼヴィッツや孫子の本をいつも抱えている。ビジネス用語は戦争の比喩だらけだ。「ヘッドハンター」を使って、セールス「部隊」を築き、「[*1]捕虜《キャプティブ》市場」を奪取して、「大儲けする《メイク・ア・キリング》」などと言う。だけど、戦争に似ているのは、ビジネスではなく競争の方だ。競争は必要だと言われ、勇敢なことだとされるけれど、結局は破壊を招く。

なぜ人は競争するのだろう？　マルクス[*2]とシェイクスピア[*3]は、それぞれの見方で世の中のほとんどすべての対立を理由づけている。

マルクスは、人は違いがあるから闘うのだという。労働者がブルジョアと闘うのは、考え方や目標がまったく違うからだ（物質的環境の差からその違いが生まれるとマルクスは考えた）。違いが大きいほど溝も深い。

シェイクスピアは逆に、競い合う人々の間にあまり違いなどないという。そもそも闘う理由などなく、なぜ闘っているのか当事者もわからない、と。『ロミオとジュリエット』の冒頭のセ

---

*1　キャプティブ／captive

自社および自社グループのリスクを専門的に引き受ける再保険子会社。

リフを思い出してほしい。「二つの家族はいずれも同じく誇り高い」。両家は似ているが、お互いを憎みあっている。抗争が激しさを増すと、どちらもますます似てくる。最後には、争いのきっかけがなんだったのかさえ忘れている。

少なくともビジネスの世界は、シェイクスピアの説により近い。社員は出世のためにライバルとの競争に執着するようになる。企業もまた、市場の競合他社に執着する。そんな人間ドラマの常として、人は本質を見失い、ライバルばかりを気にするようになる。

シェイクスピアの物語を現実に当てはめてみよう。『ロミオとジュリエット』をもとにした『ゲイツとシュミット』という戯曲を思い浮かべてほしい。モンタギュー家がマイクロソフトで、キャピュレット家がグーグルだ。どちらもアルファギークが統率する名家で、似たもの同士だからこそ衝突する運命にある。

すべての悲劇がそうであるように、衝突が避けられなかったというのは後づけでしかない。実際には、避けられないはずはない。両家の出自はまったく違う。モンタギュー家はオペレーティング・システムとオフィス・アプリケーションの開発。キャピュレット家は検索エンジン。どこに闘う必要があるだろう?

もちろん、闘う理由はたくさんある。スタートアップ時代には、お互い敵のことなど気にせず自分の一族が繁栄していれば満足だった。でも拡大するにつれ、相手を意識し始める。モン

---

*2　マルクス／Karl Heinrich Marx

1818-83年、プロイセン王国出身の哲学者、経済学者。彼の科学的社会主義はマルクス主義として大きな影響を与えた。著書に『資本論』、エンゲルスとの共著に『共産党宣言』などがある。

タギュー家はキャピュレット家を目の敵にし、キャピュレット家はモンタギュー家を目の敵にした。その結果は？　ウィンドウズ対クロームOS、ビング対グーグル、エクスプローラー対クローム、オフィス対ドックス、サーフェス対ネクサスだ。

　モンタギュー家とキャピュレット家の抗争で彼らが子どもを失ったように、マイクロソフトとグーグルの闘いで両者は市場の支配力を失った——アップルがやってきて支配的地位を奪ったのだ。二〇一三年一月、アップルの時価総額が五〇〇〇億ドルにのぼったのに対し、グーグルとマイクロソフトは両社合わせて四六七〇億ドルだった。ほんの三年前には、マイクロソフトもグーグルも、それぞれ一社でアップルよりも大きかったのに。戦争は高くつくものだ。

　競争心が高じると、僕たちは昔の成果を過大に評価し、過去の成功をやみくもにコピーし始める。今、巷にはモバイル用のクレジットカードリーダーが溢れている。二〇一〇年一〇月、スクエア[*4]が、iPhoneにつないでクレジットカードをスワイプするだけで決済を可能にする、白い小さな正方形のカードリーダーを発売した。スマートフォン用の決済ソリューションとしては初めての、よく出来た製品だった。だけど、たちまち後発企業が同じような製品を続々と発売する。ネットセキュアというカナダ企業は半月形のカードリーダーを発売。インテュイットは筒形リーダーで参戦。二〇一二年三月にはイーベイ傘下のペイパルがオリジナル製品を発売した。その三角の形は、四角《スクエア》への対抗心の表われだった。このシェイクスピア的な競争は、使

*3　シェイクスピア／William Shakespeare
1564-1616年、イングランドの劇作家、詩人。四大悲劇や『ベニスの商人』『真夏の夜の夢』など数々の代表作がある。

う形がなくなるまで続くのではないかと思えるほどだ。

今日のシリコンバレーで、人付き合いの極端に苦手なアスペルガー[*5]気味の人間が有利に見えるのは、ひとつにこうした模倣競争が不毛だからだろう。空気を読めない人間は、周囲の人と同じことをしようとは思わない。ものづくりやプログラミングの好きな人は、ひとり淡々とそれに熱中し、卓越した技能を自然に身につける。そのスキルを使う時、普通の人と違ってあまり自分の信念を曲げることもない。だから、わかりやすい成功につられて周囲の大勢との競争に捕らわれることもない。

競争は、存在しないチャンスがあるかのような妄想を抱かせる。九〇年代にはオンラインのペットストア市場をめぐって熾烈な闘いが繰り

*4　スクエア／Square

2009年にTwitterの創業者でもあるジャック・ドーシーと友人のジム・マッケルヴィがサンフランシスコで創業したモバイル決済企業。現在、アメリカ、カナダ、日本で利用可能。

広げられた。ペッツ・ドットコム対ペットストア・ドットコム対ペットピア・ドットコム対その他もろもろの似たようなサイトの闘いだ。全員がライバルを倒すことにこだわっていた。それはサイト間にほとんど違いがなかったからだ。誰が犬のおしゃぶりを最安値で販売できるか、最高のスーパーボウル広告を出すのはどの会社かといった小手先の課題にしか目を向けず、オンラインのペット用品市場にいることが本当に正しいかどうかと俯瞰する視点を完全に失っていた。負けるよりは勝った方がいいけれど、戦争自体に闘う価値がなければ、全員が負ける。ネット・バブルが崩壊して、ペッツ・ドットコムが破綻すると、三億ドルの投下資本が消えた。[*6]

競争心は時に奇妙で、邪魔になることもある。オラクルの創業CEO、ラリー・エリソンと、エリソンの右腕と言われ、その後シーベルシステムズを創業したトム・シーベルの間にも、シェイクスピア的な対立があった。エリソンはシーベルの裏切りに腸が煮えくり返っていた。シーベルはエリソンの影武者であることに我慢ならなかった。二人は双子のようだった。どちらもシカゴ出身の熱血漢で、売り込みを愛し、負けず嫌いだった。だからこそ、お互いへの憎しみは深かった。エリソンとシーベルはお互いを妨害することに九〇年代の後半を費やした。ある時エリソンはトラック一台分のアイスサンドをシーベルの本社に送りつけ、社員に転職を勧めようとした。アイスサンドの包みには、こんなコピーがあった。「夏は近い。オラクルがやってきた。あなたの一日とキャリアを輝かせるために」[*7]

*5　アスペルガー症候群／Asperger syndrome

自閉症スペクトラムに分類され、知的障害を伴わず、特定の分野については驚異的なまでの集中力と知識を持つ一方、コミュニケーションについて特異性が認められる。

おかしなことに、オラクルは意図的に敵を作っていた。エリソンの説によると、敵がいるのはいいことだった。ただし、それが脅威に見えるほど大きな相手（それが社員をやる気にさせるほどの大きさ）でありながら、実際には脅威にならないくらいの規模ならば、というわけだ。だから、一九九六年にインフォミックスという小さなデータベース企業が、レッドウッド・ショアーズのオラクル本社の近くに「要注意：恐竜横断中」と書かれた看板を掲げた時、エリソンはおそらく大喜びしたはずだ。インフォミックスの看板は101号線の上り方向にもあった。そこには「運転中の皆さま、只今レッドウッド・ショアーズを通過。私たちもパスしました」とあった。

オラクルもまた、インフォミックスのソフトウェアがかたつむりより遅いと言わんばかりの看板広告で対抗した。インフォミックスCEOのフィル・ホワイトはこの闘いを個人攻撃と受け取った。ラリー・エリソンが日本の武士道好きであると知ると、オラクルのロゴに割れた刀を組み合わせた新しい看板を作らせた。この広告は、一般消費者に訴求するものでないことはもちろん、企業としてのオラクルを狙ったものでもなかった。エリソンへの個人攻撃だったのだ。だが、ホワイトはライバルに気を取られすぎたようだ。彼が看板作りに忙しくしている間に、インフォミックスに大がかりな不正会計疑惑が発覚し、ホワイト自身もまもなく虚偽報告で懲役に服することになった。

*6　スーパーボウル広告／The Super Bowl TV CM

全米で１億人が視聴するスーパーボウルのTV中継で流されるCMは毎年話題になり、30秒の広告枠が数百万ドルにもなる。古くはAppleが1984年に制作した初代MacintoshのCMが有名。

ライバルを倒せないなら、合併した方がいい。僕は一九九八年にマックス・レヴチン[*8]とコンフィニティを創業した。僕たちが一九九九年後半にペイパルというサービスを始めると、イーロン・マスク[*9]のXドットコムがすぐに後を追いかけてきた。彼らのオフィスも、パロアルトのユニバーシティアベニュー沿いの僕らから四ブロックしか離れてない場所にあり、彼らのプロダクトは僕たちを完璧にコピーしたものだった。その年末には、僕たちは臨戦態勢に入っていた。コンフィニティ社員の多くは週一〇〇時間勤務で臨んだ。まったく非生産的な闘いだったけれど、客観的な生産性など問題じゃなかった。Xドットコムを打ち負かすことだけが目的だった。あるエンジニアは、実際に爆弾を設計したほどだ。彼がチームミーティングでその案を説明すると、さすがに冷静になろうという声が上がり、そんなことを考えるのは睡眠不足のせいだろうということになった。

だけど、二〇〇〇年二月になると、イーロンも僕もお互いのことより急激に膨れ上がったハイテク・バブルの方が恐ろしくなってきた。市場が崩壊すれば、争いに決着をつける前にどちらも潰れてしまう。そこで、三月のはじめに僕たちはお互いのオフィスのちょうど中間地点にあるカフェで落ち合い、フィフティ・フィフティの合併を交渉した。合併後もライバル心を抑えるのは簡単ではなかったけれど、それはどちらかといえばありがたい悩みだった。僕たちはひとつのチームとしてネット・バブルの崩壊を乗り切り、その後ビジネスを成功させた。

---

*7 ラリー・エリソン／Lawrence Joseph Ellison
1944年ニューヨーク生まれ、77年にビジネスソフトウェア企業Oracleを創業し現在CEO。ビル・ゲイツを嫌い、ジョブズとは親友で、ジョブズ追放時のAppleを買収しようとしたことでも有名。世界で十指に入る富豪で親日家でもある。

時には闘わなければならないこともある。そんな時には、闘って勝たなければならない。中間はない。ひとつもパンチを出さないか、思い切り殴って素早く決着をつけるかのどちらかしかない。

そうわかっていても、プライドと名誉が邪魔をしてなかなかできないものだ。だから、ハムレットはこう言った。

傍き命も将来も、運命と死の危険に
曝そうとしているのだ。それも
卵の殻ほどの問題のために！　真の偉大さとは、
大義がなければ微動だにしないが、
名誉が関わるとなれば、たとえ藁しべ一本のためにも、
命をかけて立ち上がることだ。〔『新訳　ハムレット』、河合祥一郎／訳、角川文庫〕

ハムレットにとって、偉大さとは、卵の殻ほどささいだとしても正義のために闘うことだった。誰しも大切なことのためには闘うけれど、大切なことでなくても真剣に闘うほど名誉を重んじるのが、真の英雄というわけだ。もちろん、人間なら誰しもこんなねじれた部分があるけ

*8　マックス・レヴチン／Max Rafael Levchin
1975年ウクライナ生まれのコンピュータ・サイエンティスト、起業家、エンジェル投資家。PayPal共同創業者としてCTOを務め、その後立ち上げたSlideはGoogleに買収されるなどさまざまなスタートアップに携わり、同時にYahoo!、Yelpなどのボードメンバーに名を連ねる。

れど、ビジネスではそれが取り返しのつかないことになる。競争は価値の証しではなく破壊的な力だとわかるだけでも、君はほとんどの人よりまともになれる。クリアになったその頭で、次章では、独占企業をどう創るかについて考えてみよう。

*9　イーロン・マスク／Elon Musk

1971年南アフリカ共和国生まれの起業家。1999年にＸドットコムを共同設立し１年後にティールのコンフィニティと合併、PayPal社となる。2002年にスペースＸを起業しCEO兼CTOに、またテスラ・モーターズ社に投資して08年に会長兼CEOに就任したほか、06年に太陽光発電企業ソーラーシティを共同設立して会長となっている。

5 終盤を制する《ラストムーバー・アドバンテージ》

競争を避けることで独占企業になれたとしても、将来にわたって存続できなければ、偉大な企業とは言えない。ニューヨークタイムズ[*1]とツイッター[*2]の企業価値を比べてみるといい。どちらにも数千人の社員がいて、どちらも数百万人にニュースを届けている。でも、二〇一三年にツイッターが上場した時の時価総額は二四〇億ドルで、ニューヨークタイムズの一二倍を超えていた。ニューヨークタイムズは二〇一二年に一億三三〇〇万ドルの利益を計上し、ツイッターは赤字だったのに。なぜツイッターにそこまでの高値がつくのだろう？

*1　ニューヨークタイムズ／The New York Times

1851年創刊のアメリカを代表する高級日刊紙。国内発行部数は約100万部。1896年にアドルフ・オックスが同紙を買収したあと、オックス・サルツバーガー一族が発行人を務める。

答えはキャッシュフローだ。こう言うと、ニューヨークタイムズは黒字でツイッターは赤字なのに変じゃないかと思うかもしれない。でも、偉大な企業かどうかは、将来のキャッシュフローを創出する能力で決まる。投資家はツイッターがこれからの一〇年間に独占利益を取り込むことができると予想し、新聞の独占は終わったと考えている。

単純に言えば、今日の企業価値は、その企業が将来生み出すキャッシュフローの総和だ（正確には、今日の貨幣価値は一〇年後の同じ金額のそれよりも高いので、未来のキャッシュフローを現在価値に割り戻さなければならない）。

ディスカウント・キャッシュフローを比べれば、低成長企業と高成長スタートアップの違いがはっきりとわかる。低成長企業の価値の大半は短期のキャッシュフローからくる。新聞のようなオールドエコノミーが企業価値を保ち続けられるとしたら、現在のキャッシュフローを五、六年間維持できる場合だけだ。でも市場に似たような代替物がある場合、競争によって利益は吹き飛ぶ。ナイトクラブやレストランはその極端な例だ。今は稼げていたとしても、より新しくトレンディな場所に人が流れれば、今後数年でキャッシュフローはおそらく先細るだろう。

テクノロジー企業は反対の軌跡を描く。最初の数年はたいてい持ち出しになる。価値あるものを作るには時間がかかり、売り上げは後にならなければ生まれないからだ。テクノロジー企業の価値のほとんどは、少なくとも一〇年から一五年先のキャッシュフローからきている。

*2　ツイッター／Twitter

2006年にエヴァン・ウィリアムズ、ビズ・ストーン、ジャック・ドーシーらがサンフランシスコで創業したマイクロブログ・サービス。ユーザー数は2億5000万人を超え、1日当たりのツイート数は約5億件にのぼる。

二〇〇一年三月、ペイパルにはまだ利益がなかったものの、売り上げは年率一〇〇パーセントで伸びていた。将来のキャッシュフローを予測すると、ペイパルの現在価値の四分の三は二〇一一年以降の利益からきていることがわかった——立ち上げてからわずか二七か月の会社としては信じがたいことだった。ただし、実際にはこの予測さえも控え目すぎたことになる。ペイパルは今も年率およそ一五パーセントで成長し、割引率も一〇年前より低くなった。現在の企業価値のほとんどは二〇二〇年以降のキャッシュフローから生まれている。

リンクトイン[*3]は遠い未来に企業価値が存在する企業の好例だ。二〇一四年はじめの時点でその時価総額は二四五億ドルだった。二〇一二年の売り上げは一〇億ドルに満たず、純利益がわ

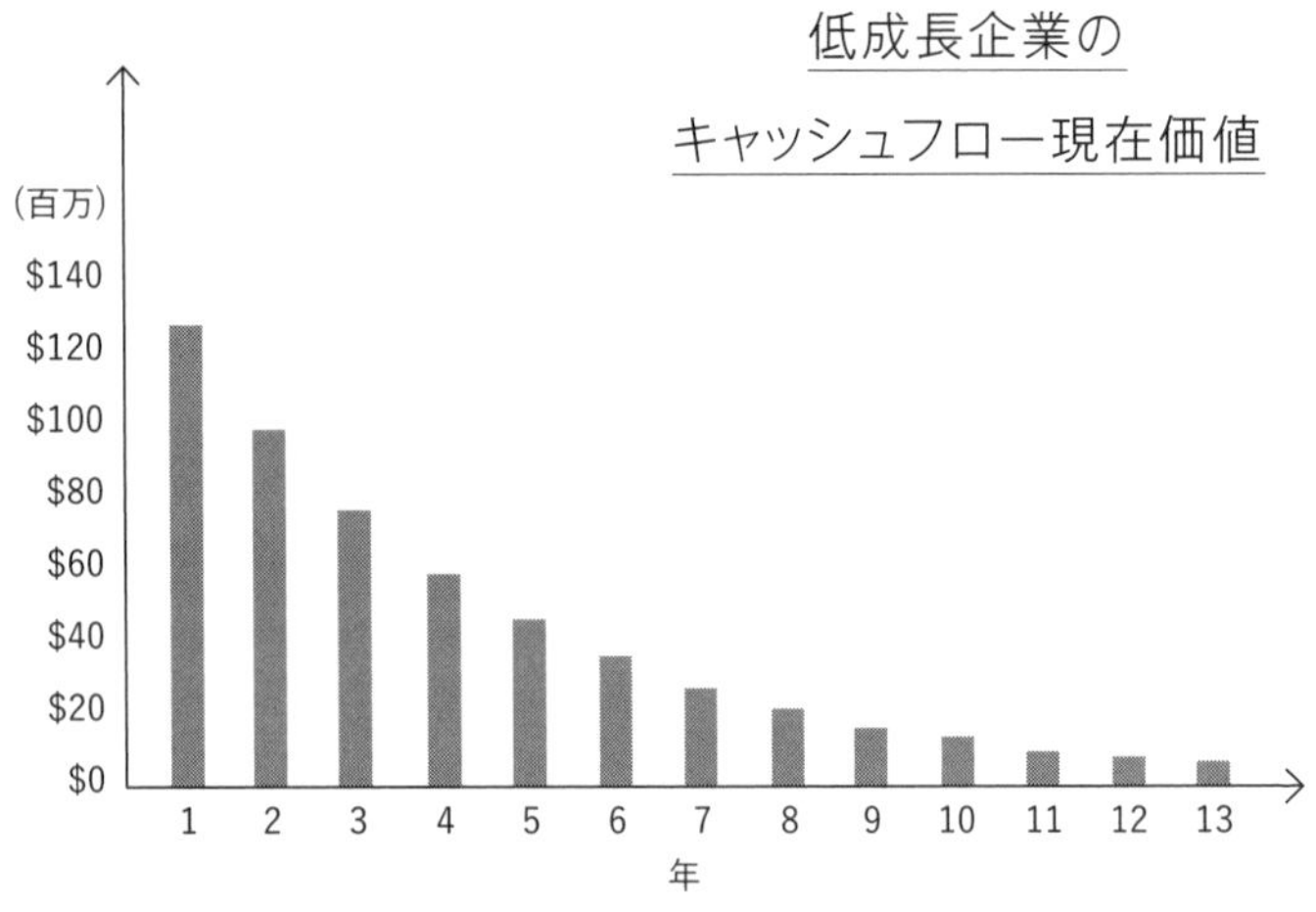

*3　リンクトイン／LinkedIn
PayPalのCOO／副社長を務めたリード・ホフマンらが2002年にシリコンバレーで創業し03年にサービスを開始した、ビジネスに特化したSNS。ティールも投資している。

ずか二一六〇万ドルしかない企業にしては、極めて大きな時価総額だ。この金額を見ると、株主が正気を失ったと思うかもしれない。でも、リンクトインの将来のキャッシュフロー予測を考えれば、このバリュエーションは納得できる。

　未来の利益がどれほど大きな価値を占めるかは、シリコンバレーにいても直観的に理解できるわけではない。価値ある企業となるには、成長するだけでなく存続しなければならないのに、多くの起業家は短期的な成長しか見ていない。彼らには言い訳がある――成長は測りやすいけれど、存続性は測りにくい。なんでも計測しなければ気がすまない人たちは、週ごとのアクティブユーザー数、月ごとの売上目標、四半期ごとの利益報告に執着する。でも、そうした目標を達成しても、ビジネスの存続をおびやかすよう

テック企業の
キャッシュフロー現在価値（リンクトイン）

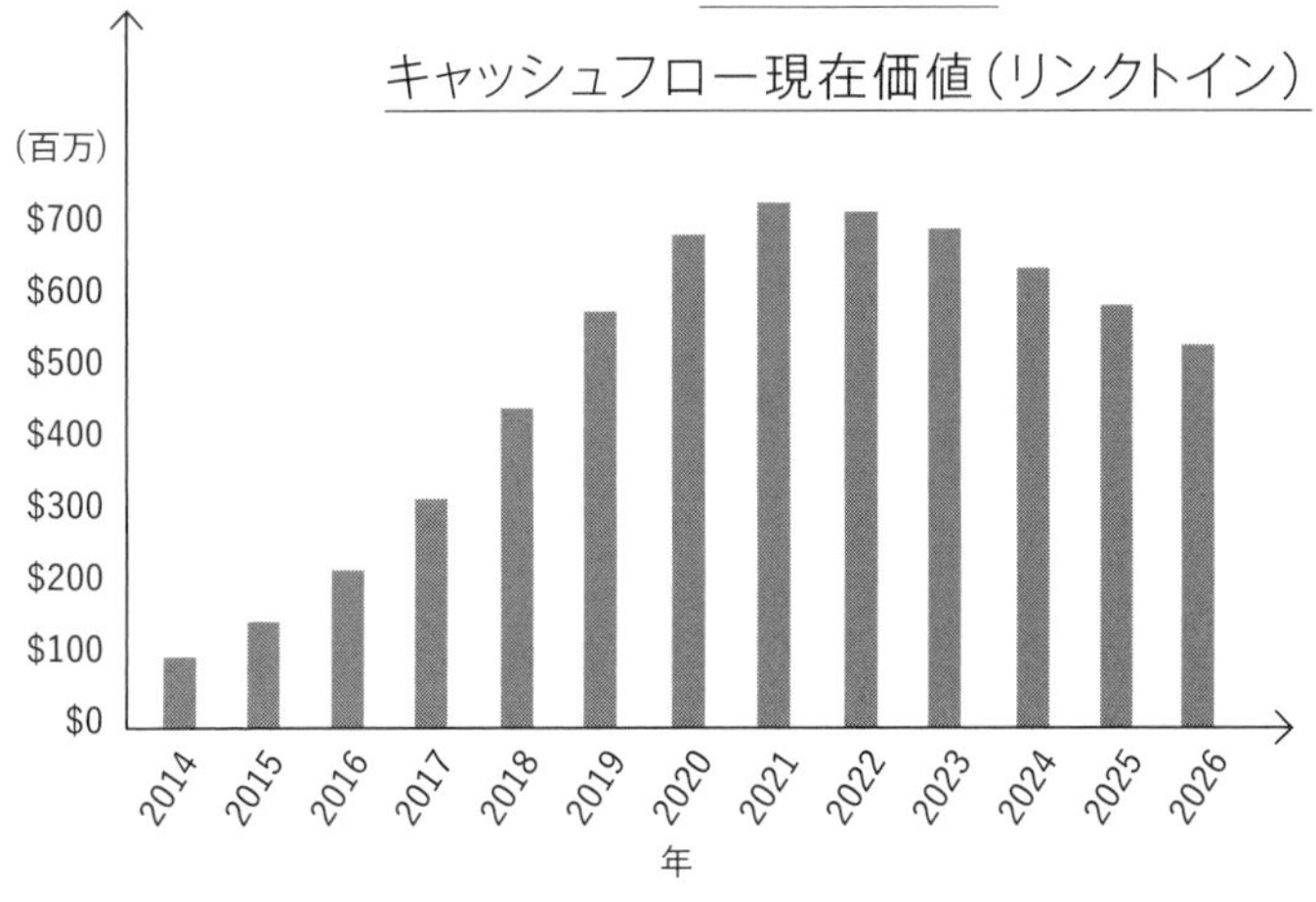

な、数字に表われない深い問題を見逃すこともある。

たとえば、ジンガ[*4]とグルーポン[*5]は短期間に急成長したために、経営陣も株主も長期的な課題から目をそらしてしまった。ファームビルなどのゲームが初期に大当たりしたジンガは、新製品の訴求力を厳格に評価する「心理測定システム」があると吹聴した。でも結局、ハリウッドのスタジオと同じ壁——どうしたら気まぐれな消費者に受ける作品をコンスタントに出しつづけられるか——に突き当った（誰にもわからない）。グルーポンは、何十万店という地域商店がサービスを試すにつれて急速に拡大した。でも、こうした商店をリピーターにするのは思ったよりも難しかった。

短期成長をすべてに優先させれば、自問すべき最も重要な問いを見逃してしまう——「**このビジネスは一〇年後も存続しているか**」というものだ。数字はその答えを教えてくれない。むしろ、そのビジネスの定性的な特徴を客観的に考えてみる必要がある。

独占企業の特徴

遠い未来に大きなキャッシュフローを生み出すのは、どんな企業だろう？　独占企業はそれ

*4　ジンガ／Zynga

2007年にマーク・ピンカスらがサンフランシスコで創業したソーシャルゲーム会社の最大手。現在はモバイルゲームの台頭で苦戦が続いている。

それに違っているけれど、たいてい次の特徴のいくつかを合わせ持っている。プロプライエタリ・テクノロジー、ネットワーク効果、規模の経済、そしてブランドだ。[*6]

といっても、これらは、起業の際に「やるべきこと」のリストではない――独占への近道は存在しない。それでも、この特徴に従って自分のビジネスを分析することが、存続可能な企業を作るのに役立つはずだ。

1　プロプライエタリ・テクノロジー

プロプライエタリ・テクノロジーは、ビジネスのいちばん根本的な優位性だ。それがあれば、自社の商品やサービスを模倣されることはほとんどない。たとえば、グーグルのアルゴリズムは、他社より優れた検索結果を生み出している。ビジネスの核となる検索エンジンの信頼性と盤石さに加えて、グーグルはスピードの速い検索結果表示と確度の高い検索ワードの自動候補表示というプロプライエタリ・テクノロジーを併せ持っている。二〇〇〇年はじめにグーグルがほかの検索エンジン企業を引き離したのと同じようにグーグルを引き離すことは、ほぼ不可能に近いだろう。

確かな経験則から言えるのは、プロプライエタリ・テクノロジーは、本物の独占的優位性をもたらすようないくつかの重要な点で、二番手よりも少なくとも一〇倍は優れていなければなら

*5　グルーポン／Groupon

2008年にアンドリュー・メイソンがシカゴで創業した同名の共同購入型クーポンサイト運営企業。11年NASDAQに上場するも、13年には創業者CEOのメイソンが業績不振を理由に解雇されている。

ないということだ。それ以下のインパクトではおそらくそこそこの改善としか見なされず、特にすでに混みあった市場での売り込みは難しい。

一〇倍優れたものを作るには、まったく新しい何かを発明するのがいちばんだ。それまでまったく何もなかったところで価値あるものを作れば、価値の増加は理論的には無限大となる。たとえば、眠らなくてもよくなる安全な薬や、禿げをなくす薬は、確実に独占ビジネスとなるだろう。

または、既存のソリューションを劇的に改善してもいい。一〇倍の改善ができれば、競争から抜け出せる。たとえば、ペイパルはイーベイでの取引を少なくとも一〇倍は改善した。小切手を送れば七日から一〇日はかかるところを、ペイパルは買い手がオークション終了後直ちに支払いができるようにした。売り手も即座に代金を受け取ることができ、小切手と違って不渡りになることもない。

アマゾンはとりわけ目に見える形で、いきなり一〇倍の改善を果たした――ほかの書店よりも少なくとも一〇倍の書籍を揃えていたのだ。一九九五年にオープンした時、アマゾンは「地球上最大の書店」と謳うことができた。一〇万冊の書籍を抱えるリアルな書店と違い、アマゾンには物理的な在庫を抱える必要がない。ユーザーからの注文の都度、サプライヤーに発注するだけだ。そのあまりの効率の良さに、アマゾンの実体は「ブローカー」なのに「書店」と名

*6　プロプライエタリ／proprietary

製品やシステムの仕様や規格、構造、技術を開発メーカーなどが独占的に保持し、情報を公開していないこと。

乗るのは不正だとして、バーンズ&ノーブルはアマゾン上場の三日前に訴訟を起こしたほどだった。

包括的な優れたデザインによっても、一〇倍の改善が可能になる。二〇一〇年以前、タブレットはまったく実用的でなく、市場も存在しなかった。マイクロソフトは二〇〇二年にウィンドウズXPタブレットPCエディションを出荷し、ノキアは二〇〇五年にインターネットタブレットを発売したものの、ほとんど使いものにならなかった。その後、アップルがiPadを世に出した。デザイン改善のインパクトを正確に計測することはできないけれど、これまでに世に出たどんなタブレットをも完全に凌駕するものをアップルが生み出したことは明らかだった。タブレットは「売れない」ものから「役立つ」ものに変わった。

2　ネットワーク効果

利用者の数が増えるにつれ、より利便性が高まるのがネットワーク効果だ。たとえば、友だちみんながフェイスブックを使っていれば、自分もフェイスブックを使うのが理にかなっている。誰も使わないソーシャル・ネットワークを選ぶのは変人だけだ。

ネットワーク効果は強い影響力を持ちうるけれど、そのネットワークがまだ小規模な時の初期ユーザーにとって価値あるものでない限り、効果は広がらない。たとえば、一九六〇年にザナドゥ[*7]

*7　ザナドゥ／Xanadu

1960年にテッド・ネルソンによって開発が始められたハイパーテキスト・プロジェクト。92年にザナドゥ・オペレーティング・カンパニーを設立、開始から54年となる2014年に「OpenXanadu」をリリースしている。

ナドゥという風変わりな会社が、すべてのコンピュータをつなぐ双方向のコミュニケーションネットワークの開発に乗り出した。ある種のワールドワイドウェブの初期バージョンとも言えるようなものだ。三〇年間虚しい努力をつづけたザナドゥが事業を畳んだのは、ちょうどウェブが普及し始めた時だった。ユーザー規模が大きければおそらく成功していたはずだけれど、逆に規模がなければ決して成功しないビジネスだったとも言える。すべてのコンピュータが同時にネットワークに加入することが必要で、それはあり得なかった。

矛盾するようだけれど、ネットワーク効果を狙う企業は、かならず小さな市場から始めなければならない。フェイスブックはハーバードの学生だけの間で始まった。マーク・ザッカーバーグの最初の目的は同級生全員を加入させることで、全世界の人口を狙ったわけではなかった。ネットワーク事業を成功させた人たちのほとんどがMBAタイプではないのはそのせいだ――初期の市場が小さすぎて、そこに事業チャンスがあるようには見えないのだから。

3　規模の経済

独占企業は規模が拡大すればさらに強くなる。プロダクトの開発に関わる固定費（エンジニアリング、経営管理、家賃）は販売量の拡大にしたがって分散される。ソフトウェアのスタートアップは、販売増加にかかる限界費用[*8]がほぼゼロに近いため、劇的な規模の経済の恩恵を受けら

*8　限界費用／marginal cost
生産量を1つ増加させたことによる総費用の増加分。

れる。

多くの企業にとって、規模の拡大によるメリットは限定的だ。サービス業では特に独占は難しい。たとえば、ヨガスタジオを経営している場合、顧客の数は限られる。インストラクターを雇ったり、店舗を増やしたりして拡大することはできても、利益率はかなり低くとどまり、ソフトウェアのエンジニアと違って、いくら才能のある講師陣を集めても、数百万人のクライアントに価値を提供するほどの規模に達することはない。

規模拡大の可能性を最初のデザインに組み込むのが、優良なスタートアップだ。ツイッターのユーザー数は、今の時点で二億五〇〇〇万を超えている。さらなるユーザーの獲得に多くのカスタム機能を加える必要はなく、成長が止まりそうな内的な要因はない。

4　ブランディング

ブランドとは、そもそも企業に固有のもので、強いブランドを作ることは独占への強力な手段となる。今いちばん強いテクノロジー・ブランドはアップルだ。iPhoneやMacBookの魅力的な外観と慎重に選ばれた素材、アップルストアの垢抜けたミニマリスト的デザインと顧客体験への厳格なコントロール、いたるところに見かける広告キャンペーン、ハイエンドメーカーとしての価格設定、そして今も残るスティーブ・ジョブズのカリスマ性といったすべてが、アップル製品を独自のカテゴリとして位置づけている。

　これまでに多くの人がアップルの成功から学ぼうとしてきた。独自の広告戦略、ブランドストア、高級素材、注目されるプレゼンテーション、高価格、そしてミニマリスト的デザインでさえ、すべてを模倣することはできる。でも、そうやって表面を磨き上げても、その下に強い実体がなければうまくはいかない。アップルは、ハードウェア（優れたタッチスクリーン素材）とソフトウェア（特殊素材用に特別にデザインされたインターフェース）の両方で、一連の複雑なプロプライエタリ・テクノロジーを有している。大量生産によって、材料価格も支配できる。その上、コンテンツの生態系を通して強力なネットワーク効果を享受できる。数億人のアップルユーザーを狙って数万の開発者がアプリを開発し、豊富なアプリがあるのでユーザーはアップルのプラットフォームを離れない。アップルの一連の独占的優位性は偉大なブランドの陰に隠れているけれど、アップル・ブランドによる独占を強化しているのは、こうした本質なのだ。

　本質よりブランドから始めるのは危険だ。マリッサ・メイヤー[*9]は二〇一二年半ばにヤフーのCEOに就任して以来、かつて一世を風靡したインターネットの巨人をふたたびクールに見せることで、生き返らせようとしている。ヤフーはメイヤーの戦略を、「まず人、それからプロダクト、それからトラフィック、そして売り上げへ」の連鎖反応だとツイートしている。人はクールな場所に集まる。ヤフーはロゴの改変でデザインへの意識を表現した。人気のスタートアッ

***9　マリッサ・メイヤー／Marissa Ann Mayer**

1975年生まれ、2012年よりYahoo! CEO。スタンフォード大学で人工知能を専攻してコンピュータサイエンスの修士号を受け、99年に当時従業員20人程度のGoogleにエンジニアとして入社、ウェブ検索をはじめさまざまなサービスの構築に関わる。

プ、タンブラー[*10]の買収で若々しさを訴えた。メイヤー自身の存在感でメディアの関心を集めた。でも、何より大切なのは、ヤフーが実際にどんなプロダクトを生み出すかだ。アップルに戻ったスティーブ・ジョブズは、アップルをクールな職場にしようとしたわけじゃない。製品群を絞り込み、一〇倍の改善を望める少数のプロダクトに集中した。ブランディングだけではテクノロジー企業は築けない。

独占を築く

ブランド、規模、ネットワーク効果、そしてテクノロジーのいくつかを組み合わせることが、独占につながる。ただし、それを成功させるには、慎重に市場を選び、じっくりと順を追って拡大しなければならない。

小さく始めて独占する

どんなスタートアップもはじまりは小さい。どんな独占企業も市場の大部分を支配している。だから、**どんなスタートアップも非常に小さな市場から始めるべきだ。**失敗するなら、小さす

*10　タンブラー／Tumblr
2007年にデビッド・カープがニューヨークで立ち上げたマイクロブログ・サービス。13年にYahoo!に推定11億ドルで買収された。

ぎて失敗する方がいい。理由は単純だ。大きな市場よりも小さな市場の方が支配しやすいからだ。最初の市場が大きすぎるかもしれないと感じたら、間違いなく大きいと思った方がいい。

小さいことと存在しないことは違う。僕たちは初期のペイパルでそこを間違えた。僕たちの最初のプロダクトはパームパイロット経由の決済サービスだった。それはユニークなテクノロジーで、ほかにプレーヤーはいなかった。ただ、世界中の数百万のパームパイロットユーザーは地域もバラバラで、共通点もほとんどなかった。しかもたまにしかパームパイロットを使っていなかった。僕たちのプロダクトは誰にも必要とされず、ユーザーは見つからなかった。

この経験から学んだ僕たちは、イーベイのオークションに狙いを定め、そこで最初の成功を収めた。一九九九年の後半、イーベイは取引量の多い数千人の「パワーセラー」を抱えていて、たった三か月の集中的な売り込みの結果、その四分の一が僕たちのサービスを利用してくれた。バラバラの数百万ユーザーの関心を求めて争うよりも、僕たちのプロダクトを本当に必要とする数千人に訴求する方がずっと簡単だった。

スタートアップが狙うべき理想の市場は、少数の特定ユーザーが集中していながら、ライバルがほとんどあるいはまったくいない市場だ。大きな市場はいずれも避けるべきだし、すでにライバルのいる大きな市場は最悪だ。起業家が一〇〇〇億ドル市場の一パーセントを狙うと言う場合は常に赤信号だと思った方がいい。実際には、大きな市場は参入余地がないか、誰にでも参入できるため目標のシェアに達することがほとんど不可能かのどちらかだ。たとえ小さな足がかりを得たとしても、生き残るだけで精一杯になるだろう。壮絶な競争から利益が出ることはない。

規模拡大

ニッチ市場を創造し支配したら、次は関連する少し大きな市場に徐々に拡大してゆくべきだ。アマゾンはそのお手本と言える。ジェフ・ベゾス*11は創業時からすべてのオンライン小売市場を支配するというビジョンを持っていたけれど、極めて意図的に、まず本から始めた。書籍なら何百万タイトルでもカタログ化できるし、ほとんどすべてが同じ形状なので発送しやすい上に、書店が在庫を抱えたがらないような稀少本こそ最も熱心なユーザーを呼びこむことができる。書店から遠くに住んでいる人や、稀少本のファンにとって、アマゾンはなくてはならない存在となった。そこからアマゾンには二つの選択肢があった——書籍のユーザー数を拡大するか、周辺市場に拡大するかだ。アマゾンは後者を選び、本にいちばん近い市場から始めた。CD、ビデオ、ソフトウェアだ。アマゾンは徐々にカテゴリを拡大し、ついには世界一のデパートになった。その社名自体が、この拡大戦略をうまく捉えている。アマゾンの熱帯雨林の生物多様性は、世界中のすべての本をカタログ化するという設立時の目標を思わせるし、今では世界中の

*11　ジェフ・ベゾス／Jeffrey Preston Bezos
1964年ニューメキシコ州生まれ、Amazon.com創業者、CEO。プリンストン大学でコンピュータサイエンスと電気工学を専攻、94年にインターネット書店を開業、翌年Amazon.comとして正式スタートし、97年IPO。2000年に民間宇宙開発企業のブルーオリジンを設立、13年にワシントン・ポストを買収。

すべてのものをカタログ化することの象徴となっている。

イーベイもまた、小さなニッチ市場を支配することから始めた。一九九五年にオークションのマーケットプレイスを立ち上げた時点で、はじめから全世界を狙う必要はなかった。ビーニーベイビー・コレクターのような、熱心なコアユーザー向けのサービスで成功を収めることができた。ビーニーベイビー取引の市場を支配したあとも、イーベイはスポーツカーや工業製品の市場には手を出さなかった。引き続き、ちょっとした素人コレクターを開拓し、最終的にどんなアイテムを取引する人にとっても、最も信頼できるオンラインのマーケットプレイスとなった。

規模拡大には隠れた障害が存在することもある――最近イーベイが学んだことだ。マーケットプレイスすべてに言えることだけれど、オークション市場もまた、自然に独占が生まれやすい。買い手は売り手の集まる場所に行くし、売り手も買い手の集まる場所に向かうからだ。でも、オークションモデルが成功するのはコインや切手といった特殊なアイテムの市場に限られる。コモディティではあまりうまくいかない。鉛筆やクリネックスに入札する人はいないし、それならアマゾンで買った方がいい。イーベイは今も重要な独占企業であることに変わりはない。ただ、二〇〇四年に予想されたよりも少し小さいだけだ。

正しい順序で市場を拡大することの大切さは見過ごされがちで、徐々に規模を拡大するには自己規律が必要になる。大成功している企業はいずれも、まず特定のニッチを支配し、次に周辺市場に拡大するという進化の過程を創業時から描いている。

破壊しない

シリコンバレーは、いつからか「破壊」[*12]にこだわるようになった。もともと、「破壊」という言葉は、新たなテクノロジーを使って低価格商品を開発し、それを次第に改善して最終的に古いテクノロジーを使った既存企業の高価格市場まで奪ってしまうことを指していた。PCがメインフレーム市場を「破壊」した時が、ほぼそうだった――当初PCはたいした脅威と思われなかったのに、その後市場を支配した。現在のPCに対するモバイルデバイスにも、同じことが起きるかもしれない。

でも今は、「破壊」という言葉がトレンディで新しい見かけのものを何でも指す自己満足的なバズワードに変わっている。一見ささいなこの流行は、起業家の自己認識を競争志向へと歪める点で問題だ。これは既存企業への脅威を表わすために提唱された概念で、スタートアップが破壊にこだわることは、自分自身を古い企業の視点で見るようなものだ。君が自分をダークフォース[*13]と闘う反乱軍だと見なせば、必要以上に敵を意識することになりかねない。本当に新しいものを作りたいなら、古い業界を意識するより、創造に力を注ぐ方がはるかに有益だ。実際、

*12　破壊／disruptive

ハーバード・ビジネススクールのクレイトン・M・クリステンセン教授は著書『イノベーションのジレンマ』（翔泳社）においてこれをイノベーションモデルのひとつ「破壊的イノベーション」としている。

既存企業との対比で語られるような会社はまったく新しいとは言えないし、おそらく独占企業にはなれないだろう。

また、破壊は注目を集める。破壊者は自分から進んで問題を起こすタイプの人間だ。問題児は校長室に送られる。破壊的な企業は勝てない喧嘩を売ってしまう。ナップスターがいい例だ――社名自体がトラブルを思わせる。「ナップ」から何が連想されるだろう？　音楽、子ども、せいぜいそんなところだ。一九九九年に一〇代でナップスターを立ち上げたショーン・ファニングとショーン・パーカーは、巨大な音楽産業を破壊すると豪語していた。翌年二人はタイム誌の表紙を飾る。それから一年半後、彼らは破産法廷にいた。

ペイパルも破壊的に見えたかもしれない。でも大企業に直接挑戦しようとしたわけじゃない。インターネット決済を浸透させたことでＶｉｓａの取引の一部を奪ったのは事実だ。店でＶｉｓａカードを使う代わりに、オンラインの買い物でペイパル決済をする人もいるからだ。でも、僕たちが決済の市場全体を拡大したことで、Ｖｉｓａは損よりはるかに得をしているはずだ。ナップスターがアメリカのレコード業界にしかけたような、市場全体が損をする闘いとは違って、僕らの場合は市場全体が潤った。周辺市場に拡大する計画を練る時には、破壊してはならない。できる限り競争を避けるべきだ。

*13　ダークフォース／ dark force
『スター・ウォーズ』において、ダース・ベイダーなど、ダークサイドのフォース使いが持つ邪悪で強大な力。

ラストムーバーになる

ファーストムーバー・アドバンテージ、先手必勝とよく言われる。市場に最初に参入すれば、ライバルのいない隙に大きな市場シェアを握れるという意味だ。でも、先手を打つのは手段であって目的ではない。本当に大切なのは将来キャッシュフローを生み出すことであって、君が最初の参入者になっても、ライバルがやってきてその座を奪われたら意味がない。最後の参入者になる方がはるかにいい——つまり、特定の市場でいちばん最後に大きく発展して、その後何年、何十年と独占利益を享受する方がいいということだ。そのためには、小さなニッチを支配し、そこから大胆な長期目標に向けて規模を拡大しなければならない。少なくともこの点に関していえば、ビジネスはチェスに似ている。チェスのグランド・マスター、ホセ・ラウル・カパブランカはこう言った。勝ちたければ「何よりも先に終盤を学べ」。

6 人生は宝クジじゃない

ビジネスでいちばん意見が分かれるのが、成功は運か実力かという問題だ。

成功している人はどう言っているだろう？　成功者を描き続けることで自身も成功している作家のマルコム・グラッドウェルは著書『アウトライヤー』[*1]で、成功は「チャンスと才能の幸運なめぐり合わせ」だと書いている。ウォーレン・バフェット[*2]が自分を「幸運なＤＮＡクラブの一員」で、「当たりくじを握って生まれた」と言ったのは有名だ。ジェフ・ベゾスはアマゾンの成功を「惑星直列のような珍しい現象」で「運が半分、タイミングが半分で残りが頭脳」だと冗

*1　『アウトライヤー』／ *Outliers*
邦訳は『天才！ 成功する人々の法則』（勝間和代・訳、講談社）。著者マルコム・グラッドウェルは1963年イギリス生まれ、ニューヨーカー誌のエースライター。

談めかして言った。ビル・ゲイツは「たまたま生まれつきある種のスキルがあった」とまで言っている。でも、そんなことが本当にありえるだろうか。

　彼らの謙虚さはおそらく戦略的なものだ。連続起業家《シリアル・アントレプレナー》が世に存在するということは、成功が単なる運とも言い切れない。数百万ドル規模のビジネスを複数立ち上げた起業家は何百人もいる。中でもスティーブ・ジョブズ、*3ジャック・ドーシー、イーロン・マスクは数十億ドル企業を複数生み出してきた。成功がほぼ運によるものだとしたら、こうした連続起業家はおそらく存在しないはずだ。

　二〇一三年一月、ツイッターとスクエアの創業者ジャック・ドーシーは、二〇〇万人のツイッター・フォロワーに向けてこうつぶやいた。「成功は決して偶然じゃない」

　反応は一様に否定的だった。そのツイートを記事で取り上げたアトランティック誌のアレクシス・マドリガル記者は、思わずこう返信しそうになったらしい。「『成功は決して偶然じゃない』と言うのは、億万長者の白人男性ばかりだ」。すでに成功を収めた人たちが、その人脈、資金、経験を使って新しいことを始めやすいのは本当だ。それでも、計画通りに成功したという意見を、世間は軽く見すぎていないだろうか？

　この論争を客観的に結論づける方法は、残念ながらない――企業は実験ではないからだ。たとえばフェイスブックの成功について科学的な答えを出そうと思ったら、時計を二〇〇四年に

*2　ウォーレン・バフェット／Warren Edward Buffett

1930年ネブラスカ州生まれの投資家。世界最大の投資持株会社バークシャー・ハサウェイの筆頭株主、会長兼CEO。「オマハの賢人」と呼ばれている。

巻き戻し、一〇〇〇通りの世界を作ってフェイスブックを立ち上げ、それが何度成功するかを実験しなければならない。そんなことはもちろん不可能だ。起業の状況はみな違うし、どんな会社も始まりは一度きりだ。サンプルがひとつしかなければ統計に意味はない。

ルネサンスから啓蒙時代、二〇世紀半ばにいたるまで、幸運とは自らが引き寄せ、支配し、操るものとされていた――自分ができることを行ない、できないことに目を向けるべきではないと考えるのが当たり前だった。ラルフ・ウォルドー・エマーソン[*4]はその精神《エートス》をこう表わした。「浅はかな人間は運を信じ、流れを信じる。強い人間は因果関係を信じる」。一九一二年、世界で初めて南極点に到達したロアール・アムンゼンはこう書き残している。「完璧な準備のあるところに勝利は訪れる。人はそれを幸運と呼ぶ」。不運が存在しないわけではないけれど、昔の人たちは努力によって幸運が訪れると信じていた。

人生が運に左右されると信じているなら、なぜ君は本書を読んでいるのだろう？　スタートアップが宝クジを当てた人の物語だと思うなら、学ぶ意味はない。スロットマシン入門書は、当たりが出るお守りや、当たりそうな台を見分けるコツは教えてくれても、どうしたら勝てるかを教えてくれるわけじゃない。

ビル・ゲイツは単に知性の宝クジを当てただけだろうか？　シェリル・サンドバーグ[*5]は銀のスプーンをくわえて生まれたのだろうか、それとも「リーン・イン」に努めたのだろうか？　こう

*3　ジャック・ドーシー／Jack Dorsey

1976年ミズーリ州生まれの起業家。2000年からTwitterのアイデアを温め、06年にエヴァン・ウィリアムズらと現Twitter社を共同設立し、現在も会長を務めるほか、09年にSquareを創業。

した議論での「幸運」は過去形だ。でも、はるかに重要なのは未来がどうなるかだ。それは偶然や運命で決まるのだろうか？

未来はコントロールできるか？

未来は明確な姿を持つとも考えられるし、未来の姿はぼんやりと霞んで見えないものだとも考えられる。明確なものだとするなら、前もってそれを理解し、そう形作るよう努力することは理にかなっている。だけど、遠い未来が偶然に支配されているならば、コントロールしようとしても無駄だと諦めてしまってもおかしくない。

未来はどうなるかわからないという考え方が、何より今の社会に機能不全をもたらしている。本質よりもプロセスが重んじられていることがその証拠だ。具体的な計画がない場合、人は定石に従ってさまざまな選択肢を寄せ集めたポートフォリオを作る。それが現在のアメリカだ。中学校では、さまざまな「課外活動」にいそしむよう勧められる。高校では、野心のある生徒は自分を万能に見せようとさらに競い合う。大学生になる頃には、一〇年をかけて多様な経験をあれこれ寄せ集め、まったく先の見えない未来に備えているというわけだ。「何が起きても大丈

*4　ラルフ・ウォルドー・エマーソン／Ralph Waldo Emerson
1803-82年、19世紀を代表するアメリカの思想家、作家。その独自の思想はソローやニーチェ、宮沢賢治や北村透谷など多くの思想家、文学者に影響を与え、ナポレオン・ヒルをはじめとする成功哲学および自己啓発書にたびたび引用される。

夫」と言いながら、具体的な備えは何もない。

逆に、未来は明確だという考え方に立てば、確固たる信念を持つ方がいいはずだ。あれもこれも中途半端に追いかけて「万能選手」になるより、いちばんいいと思うことを決め、それを実行するべきだ。必死にみんなと同じことをするより、本当に身のあること、自分がいちばんになれることに力を注ぐ方がいい。今の若い人はそうじゃない。というのも、ずいぶん以前から周りの人間が明確な世界を信じなくなっているからだ。それに、スポーツ推薦でもない限り、ひとつのことに秀でていてもスタンフォードには入れない。

未来は現在より良くなっているとも、悪くなっているとも予想できる。楽観的な人は未来を待ち望み、悲観的な人は未来を恐れる。こうした可能性を組み合わせると、四つの見方に分けられる。

あいまいな悲観主義

栄華のはかなさを伝える逸話は古今東西にあるし、歴史を通してほぼすべての人々は悲観的だった。今でも悲観的な見方が世の中の圧倒的多数を占めている。あいまいな悲観主義者は暗い未来を予想するけれど、それにどう対処するかについてはお手上げの状態だ。一九七〇年代のはじめからずっと、方向性の定まらない官僚制度に流されてきたヨーロッパがそうだ。今で

*5　シェリル・サンドバーグ／Sheryl Kara Sandberg

1969年ワシントン州生まれ。ハーバード大学経済学部を首席で卒業後、世界銀行に勤務。ハーバード・ビジネススクールを卒業ののち、当時のラリー・サマーズ財務長官の下で補佐官を務める。2001年に創業後間もないGoogleに入社してバイスプレジデントとして同社の成長を支えると、08年にFacebookのCOOに就任。著書に『LEAN IN　女性、仕事、リーダーへの意欲』（日本経済新聞出版社）。

はユーロ圏全体が停滞の危機にあり、リーダーシップをとる人間もいない。欧州中央銀行は応急処置に終始している。アメリカ財務省は「神の名のもとに」通貨を供給し、欧州中央銀行も同じようにつけを後にまわしている。ヨーロッパ人は問題が起きてからしか対応しないし、ことが悪化しないようにただ祈るだけだ。あいまいな悲観主義者は、避けようのない衰退がすぐに起きるか後で起きるか、破壊的か段階的かを知る由もない。それまでの間にできることといえば、とりあえず飲んだり食べたり楽しんだりすることぐらいだ。だからヨーロッパ人は長いバケーションに執着する。

明確な悲観主義

明確な悲観主義者は、未来を知ることは可能

	明確	あいまい
楽観的	アメリカ 1950-60年代	アメリカ 1982年-現在
悲観的	中国 現在	ヨーロッパ 現在

だと思っていて、かつその未来が暗いために備えが必要だと感じている。意外かもしれないけれど、中国人は今日おそらく世界で最もはっきりとした悲観主義者だろう。アメリカ人なら、中国経済の恐るべき成長スピードを見て（二〇〇〇年以来、毎年一〇パーセント）、中国は未来に対して自信満々に違いないと思うかもしれない。でも、それはアメリカ人がいまだに楽観的だからで、その楽観主義を中国に投影しているからなのだ。中国にしてみれば、どんなに成長してもまだ足りない。中国以外のすべての国は中国が世界を乗っ取ることを恐れている。そうならないことを恐れているのは中国だけだ。

中国がこれほど速く成長できるのは、出発点が低いからだ。中国にとって、成長へのいちばんの近道は、欧米でうまくいったことをすべてそのままコピーすることだ。それが今まさに起きている――石炭をガンガン燃やし、工場や高層ビルを建て続けることで、明確な計画を実行しているのだ。それでも、膨大な人口によって資源価格が高騰し、中国人の生活水準がいつまでたっても豊かな国々に追いつくはずがないことを、中国人は知っている。

だからこそ、中国首脳は常に状況の悪化に目を光らせている。共産党首脳部は全員、子どもの頃に飢餓を経験していて、未来を見る時には最悪のケースを頭に描いている。国民もまた、冬が来ることを知っている。外国人は、中国が生み出す莫大な富に惹かれるけれど、裕福な中国人が必死で資金を海外に逃避させていることはあまり知られていない。貧乏な人々はすべてを貯蓄に回し、それでなんとか生き伸びることを願うだけだ。中国ではどんな社会階層の人でも、未来を死ぬほど真剣に捉えている。

明確な楽観主義

明確な楽観主義者は、自らの計画と努力によって、よりよい未来が訪れると信じている。一七世紀から一九五〇年代と六〇年代までは、明確な楽観主義者たちが欧米を率いていた。科学者、エンジニア、医師、ビジネスマンが、かつてないほど世界を豊かに、健康に、長寿にした。カール・マルクスとフリードリッヒ・エンゲルスは一九世紀の資本家階級をこう見ていた。

［ブルジョア階級は］過去のすべての世代を合計したよりも大量の、また大規模な生産諸力を作り出した。自然力の征服、機械装置、工業や農業への化学の応用、汽船航海、鉄道、電信、全大陸の耕地化、河川の運河化、地から湧いたように出現した全人口――これほどの生産諸力が社会的労働のふところのなかにまどろんでいたとは、以前のどの世紀が予感しただろうか？〔『共産党宣言』、大内兵衛・向坂逸郎／訳、岩波文庫〕

この時代の発明家やビジョナリーたちは常に、前の世代を超える成果を上げていた。一八四三年、ロンドン市民はテムズ川の下に掘られたトンネルを初めて渡った。一八六九年、スエズ運河ができ、喜望峰を経由せずにユーラシアを航海できるようになった。一九一四年、パナマ運河の開通により、これが大西洋と太平洋を結ぶ最短ルートとなった。アメリカ人は世界中の誰よりも遠い未来を確実で明るいと考え、大恐慌でさえそれを止めることはできなかった。一九二九年にエンパイアステートビルが着工され、一九三一年に完成。一九三三年にはゴールデンゲートブリッジが着工され、一九三七年に完成した。一九四一年にマンハッタン計画が始まり、一九四五年までに世界初の核爆弾を生み出した。アメリカは戦後も世界を再構築し続けた。一九五六年に建設が始まった州間高速道路は、一九六五年までに二万マイルに達した。明確な未来への計画は地球の外へも向かう。一九六一年にはＮＡＳＡのアポロ計画が始まり、一九七二年の終了までに一二人の人間が月に到達した。

大胆な計画を持っていたのは政治家や政府のお抱え科学者だけではない。一九四〇年代には、カリフォルニアに住むジョン・リーバーという人物がサンフランシスコのベイエリア全体の景観を描き直す試みを始める。学校教師であり、アマチュア演劇のプロデューサーでもあったリーバーは、独学でエンジニアリングを学んでいた。経歴のなさにひるむことなく、ベイエリアに二つの巨大ダムを造る計画と、飲料水と灌漑用の巨大な貯水湖の建設を市に提案し、二万エーカーの埋め立て用地を請求した。リーバー個人にはなんの権限もなかったが、人々はその計画

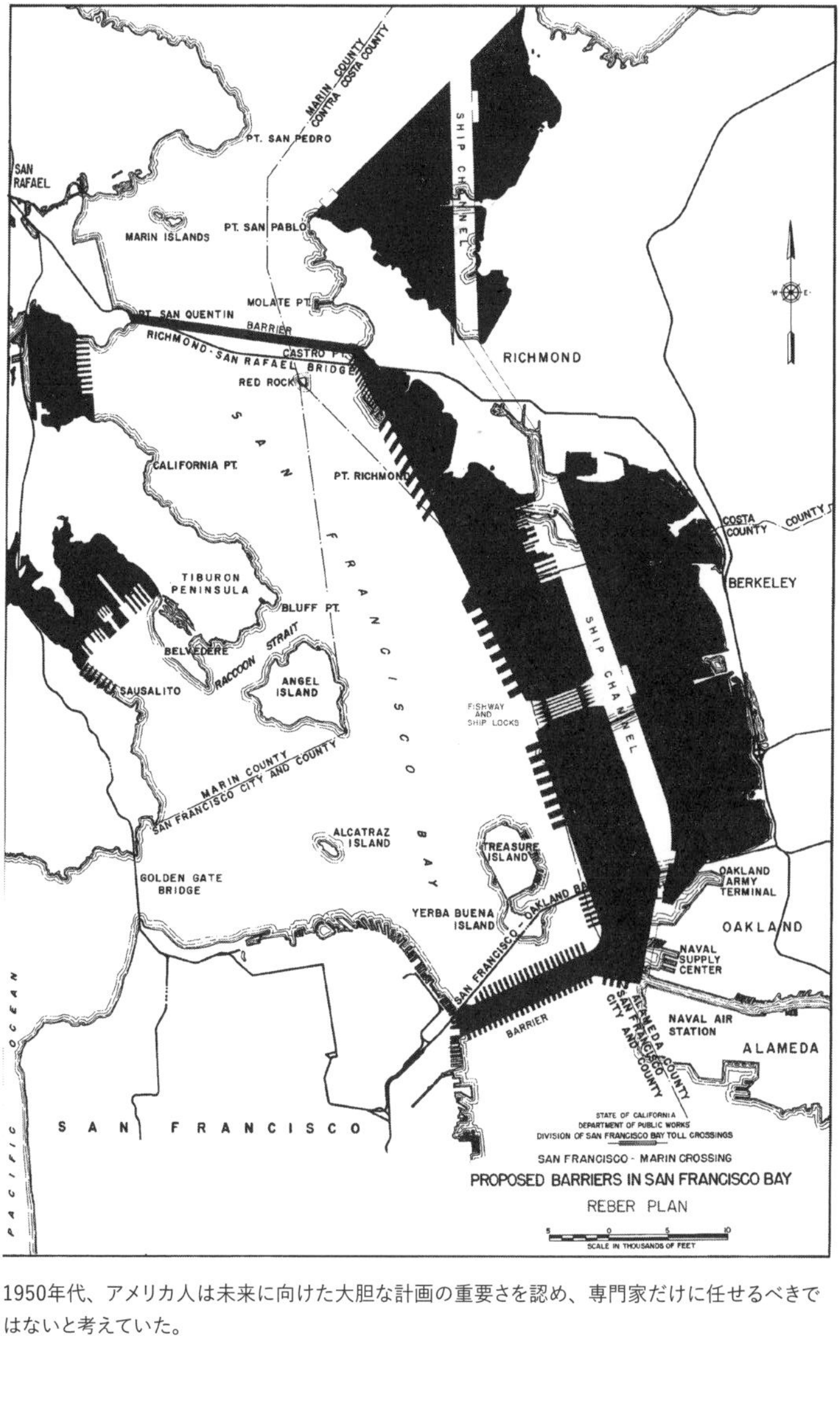

1950年代、アメリカ人は未来に向けた大胆な計画の重要さを認め、専門家だけに任せるべきではないと考えていた。

を真剣に受け止めた。カリフォルニアのすべての新聞が社説でこの計画を支持。議会は実現可能性についての聴聞会を開いた。陸軍工兵隊が、市の対岸にあるサウサリートの倉庫に一・五エーカーの模型を作ったほどだった。結局、技術的な難点が見つかったために、計画は実行されなかった。

今の時代に、そんなビジョンを真剣に受け止める人がそもそもいるだろうか？　一九五〇年代、人々は大胆な計画を歓迎し、実行できるかどうかを検討していた。今、そんな壮大な提案を教師がしたところで変わり者だと一蹴され、もっと影響力のある人が長期ビジョンを口にすれば大げさだと冷やかされるだけだ。そのサウサリートの倉庫には当時の模型が残されているけれど、今ではただの観光名所でしかない——数々の未来への壮大な計画が、今では過去の遺物になっている。

あいまいな楽観主義

一九七〇年代の短い悲観的な局面のあと、一九八二年[*6]以降は右肩上がりの相場の中で工学に代わって金融が未来を切り開くものとされ、あいまいな楽観主義がアメリカ人の心を占めるようになった。あいまいな楽観主義者は、未来は今より良くなると思っていても、どんな姿になるのかを想像できず、具体的な計画を立てることはない。彼らは未来に何かいいことがあると

*6　一九八二年／1982
レーガノミックスのもと大幅な減税によって投資が促進され、また確定拠出年金制度が始まるなどして、82年にはダウ平均株価が初めて1000ポイントを超えた。

期待しているものの、それを具体的にデザインする必要を感じていない。

あいまいな楽観主義者は、何年もかけて新製品を開発する代わりに、既存のものを作り直そうとする。銀行家は既存企業の資本構成を変えることで利益を得ようとする。弁護士はありきたりな論争を解決したり、誰かの事案の立て直しを助けたりする。[*7]プライベート・エクイティの投資家と経営コンサルタントは、新事業を立ち上げるより継続的な改善によって既存企業の効率を少しでも上げようとする。勝ち馬を追いかけるアイビーリーグ出身者がこうした仕事に群がるのも無理はない。二〇年間も経歴重視を刷り込まれた彼らが、確実に選択肢を広げてくれるプロセス重視のエリートキャリアを追いかけるのは当然だ。

最近の大学生の親たちはみな、子どもたちが社会的に認められた道を歩むように背中を押している。右肩上がりの発展を当たり前に享受してきたベビーブーマーは、あいまいな楽観主義者の世代となった。一九四五年、五〇年、五五年に生まれていれば、一八歳になるまで、自分とはまったく関係なく生活は良くなっていった。何もしなくてもテクノロジーはどんどん進歩するかに見え、ベビーブーマーたちは大きな期待を抱いて成長した。でも、その期待を実現するための具体的な計画を持つ人はほとんどいなかった。一九七〇年代になってテクノロジーの進歩が一段落すると、収入格差の増大によってほとんどのエリートたちは救われた。金持ちや成功者は、大人になるごとに年々自動的に生活が良くなっていった。それ以外のベビーブーム

*7　プライベート・エクイティ／private equity

株式の未公開会社（または事業）に関する投資形態。スタートアップに投資するベンチャーキャピタルもそのひとつ。

世代は取り残されたものの、今の世論を構成する裕福なベビーブーマーたちは自分たちの甘い楽観主義に疑問を持つことはなかった。既成のキャリアで自分たちが成功できたのだから、子どもたちもそれでうまくいかないはずがないと思い込んでいる。

マルコム・グラッドウェルは、ビル・ゲイツの幸運な生い立ちを理解しなければ、その成功も理解できないと言う。ビル・ゲイツはいい家庭に育ち、コンピュータラボのある私立学校に通い、幼なじみにはポール・アレン[*8]がいた。同じように、マルコム・グラッドウェルのベビーブーマーとしての生い立ち（彼は一九六三年生まれだ）を理解しなければ、おそらく彼のことを理解できないだろう。ベビーブーマーが成長して誰かの成功の理由を本に書くようになると、ただ運が良かっただけだと言うようになる。でも、そう考えてしまうもっと大きな社会的要因を、彼らは見逃している——つまり、彼らの世代は、偶然の力を過大評価し、計画の大切さを過小評価するよう、子どもの頃から刷り込まれてきたということだ。グラッドウェルは一見、叩き上げの実業家が存在するという神話への逆説を掲げているように見える。でも、実際は彼の世代の通説を述べているにすぎない。

あいまいで楽観的な僕たちの世界

*8　ポール・アレン／Paul Gardner Allen
1953年ワシントン州生まれの実業家。高校時代にビル・ゲイツと共にシステム開発により起業、75年には２人でMicrosoftを創業した。現在は大資産家として脳科学研究や宇宙人探索などさまざまな事業に投資・寄付をしている。

あいまいな金融

具体的で楽観的な未来には、水中都市を設計したり、惑星移住を計画するエンジニアが必要になるはずだ。でも、あいまいで楽観的な未来には銀行家や法律家が重宝される。どうやって富を創り出すか皆目わからない時に唯一利潤を上げる金融は、あやふやな未来にぴったりの業界だ。ロースクールに行かない優秀な学生がウォール街に向かうのは、まさしく具体的な将来の計画がないからだ。そしてゴールドマン・サックスに入社すれば、金融業界にいてもすべてがあやふやだとわかる。未来はまだ明るい――負けると思えば市場で勝負しないはずだ――ただ、「ランダムさ」こそ市場の基本原則だ。専門的なことや本質的なことは分からないのだから、分散投資こそが何より重要になる。

金融のあいまいさは奇妙ともいえる。成功した起業家が会社を売却するとどうなるかを考えてみよう。そのカネをどう使うだろう？　金融化された世界では次のようになる。

・創業者はカネの使い道がわからず、大きな銀行に預ける。
・銀行はどう投資していいかわからず、機関投資家のポートフォリオに広く分散させる。
・機関投資家はどう運用していいかわからず、株のポートフォリオに広く分散させる。

・企業は投資を控えてフリー・キャッシュフローを増やすことで株価を上げようとする。そして、使い道に困って配当を出すか、自社株買い[*9]を行ない、このサイクルが繰り返される。

このサイクルのどの時点においても、実体経済の中でお金の使い道がわかっている人はいない。それでも、あいまいな世界では、選択肢が無限に広がっていることが好ましい――お金を使ってできることよりも、お金自体にはるかに大きな価値があるとされる。お金が目的達成の手段となり、目的ではなくなるのは、具体的な未来においてだけだ。

あいまいな政治

政治家は昔から、選挙になるといきなり一般大衆の味方になってきた。今ではいつでも世間の空気を読むようになっている。世論調査のおかげで、政治家は国民の意見に合わせて、正確に自分のイメージを仕立てることが可能になったし、実際にほぼ誰もがそうしている。ネイト・シルバー[*10]の選挙予測は驚くほど正確だけれど、さらに驚きなのは四年ごとにそれが大きく取り上げられるようになったことだ。僕たちは、一〇年後や二〇年後にこの国がどうなっているかを大胆に想像するよりも、数週間後に国民が何を考えているかを統計的に予測することに夢中になっている。

*9　自社株買い／stock buyback
自社の株式を市場から買い戻し消却することで１株あたりの価値を上げ、株主に還元する。

それに、それは選挙のプロセスだけのことじゃない。政府そのものの存在もまた、あいまいになってきた。政府はかつて、核兵器や月面探索のような複雑な課題を、連携しながら解決する能力があった。でも、四〇年間あやふやなまま手探りを続けてきた政府は、ただの保険機関になっている。大きな問題への解決策といえば、メディケア、社会保障、そしてめまいがするほど複雑なその他もろもろの給付制度だ。一九七五年以来、毎年、給付支出が裁量支出を上回ってきたのも不思議じゃない。特定の問題を解決するための具体的な計画がなければ裁量支出は増えない。一方で、給付支出のあやふやなロジックに従えば、小切手を送りつければものごとは良くなるというわけだ。

あいまいな哲学

あいまいな姿勢に変わってきたのは政治だけでなく、右派と左派の思想的支柱となる政治哲学もそうだ。

古代哲学者は悲観的だった。プラトン、アリストテレス、エピクロス、ルクレティウスたちはみな、人間の限界を受け入れていた。悲劇的な運命にどう対処するかだけが問題だった。近代哲学者たちは総じて楽観的だ。右派のハーバート・スペンサー[*11]から中道派のヘーゲル[*12]、左派のマルクスまで、一九世紀の人々はみな進歩を信じていた（マルクスとエンゲルスは資本主義の技術

*10　ネイト・シルバー／Nate Silver

1978年生まれの統計専門家、データ解析の天才。『マネー・ボール』で有名となった野球データ分析の予測モデルを開発し、ニューヨークタイムズの人気ブログ「FiveThrity Eight」では、大統領選挙の結果を全州で的中させた。現在同ブログはESPNに移籍。著書に『シグナル＆ノイズ　天才データアナリストの「予測学」』（日経BP）。

的勝利を称えていた)。彼らは物質的な進歩が人々の生活を根本から良い方向に変えることを期待していた——明確な楽観主義者だったのだ。

二〇世紀の終わりになると、あいまいな哲学が脚光を浴びるようになった。現代を代表する政治哲学家[*13]ジョン・ロールズと[*14]ロバート・ノージックの二人は、一般には対極にいると思われている。左派平等主義のロールズは公平と分配の問題にこだわった。右派[*15]リバタリアンのノージックは個人の自由を最大化することに目を向けた。二人とも、人間は他人と平和に共存できると信じていた。つまり、古代哲学者と違って楽観的だった。でも、スペンサーやマルクスと違い、ロールズとノージックはあいまいな楽観主義者だった。具体的な未来のビジョンがなかったのだ。

	明確	あいまい
楽観的	ヘーゲル、マルクス	ノージック、ロールズ
悲観的	プラトン、アリストテレス	エピクロス、ルクレティウス

*11　ハーバート・スペンサー／Herbert Spencer

1820-1903年、イギリスの哲学者、社会学者。社会進化論を唱え、自由主義的国家を人類社会の到達点とした。

ただ、二人のあいまいさはそれぞれ違う。ロールズの『正義論』は、「無知のベール」という有名な言葉で始まる。もし世界についての具体的な知識を持っていたら、公平な政治判断はできないというわけだ。ロールズは、バラバラの個人とリアルなテクノロジーが共存する現実世界を変えようとはせず、平等だが動きのない「原初的に安定した」社会を理想とした。一方ノージックは、ロールズの描く「パターン化された」正義の概念に反対した。ノージックにとって、自発的な取引はすべて許されるべきであり、いかなる社会的パターンも強制的に適用されるべきではないと唱えた。ノージックには、ロールズよりも具体的な「善き社会」像があるわけではなかった——二人とも注目していたのはプロセスだった。今日、左派リベラル平等主義とリバタリアン個人主義の違いが誇張されているのは、ほとんど誰もが彼らと同じあいまいな姿勢でいるからだ。哲学でも、政治でも、またビジネスでも、議論されるのはプロセスばかりで、より良い未来への具体的な計画は延々と先送りされてきた。

あいまいな人生

僕たちの先祖は、人間の寿命について理解し、それを延ばす方法を追い求めてきた。一六世紀の征服者《コンキスタドール》は不老長寿の泉を求めてフロリダのジャングルを探検した。[16] フランシス・ベーコンは、「長寿法」は医学の一分野であり、最も重要な学問と見なすべきだと書いた。一六六〇年代

*12 ヘーゲル／Georg Wilhelm Friedrich Hegel

1770-1831年、ドイツの哲学者。弁証法哲学を唱え、歴史を自由で平等な市民による合理的な法治国家へと発展する弁証法的運動とした。

に、ロバート・ボイル*17は不老長寿（と若返り）を有名な「科学に将来叶えてほしいこと」リストのトップに挙げた。ルネサンス時代の天才たちは、「死」に打ち克つことができると信じ、奥地を探検したり実験を行なったりしていた（闘い半ばで命を落とした人もいる。ベーコンは、鶏を雪の中で凍らせて寿命を延長できるかどうかを実験していて肺炎にかかり一六二六年に死亡した）。

僕たちはまだ、生命の秘密を解き明かしてはいないけれど、保険会社と統計家は、一九世紀に死にまつわる秘密を解き明かし、それが今も僕たちの考え方を支配している。彼らは死を確率の問題に矮小化することに成功した――「寿命表」を見ればある年に自分が死ぬ確率がわかる。それは前の世代にはわからなかったことだ。おかげで保険の精度は向上したけれど、長寿の秘密を探ろうという人はいなくなったようだ。寿命の幅がもっともらしく示されているのを見たら、そんなものかと納得してしまう。死は避けられず、いつくるかもわからないという考え方が、今では社会全体に浸透している。

一方で、確率的な取り組みは生物学の姿そのものを変えてきた。一九二八年、スコットランド人科学者のアレクサンダー・フレミングは、ふたをせず研究室に置きっぱなしにしていたペトリ皿に謎の抗バクテリア菌が育っていることを発見した。たまたまペニシリンを発見したのだ。それ以来、科学者は偶然の力を追い求めるようになった。現代の新薬は、フレミングの思いがけない幸運を大規模に再現する方法によって発見される。製薬会社はランダムに分子化合

*13　ジョン・ロールズ／John Rawls
1921-2002年、アメリカの哲学者。人間が守るべき「正義」の根拠を論じた主著『正義論』は政治哲学、倫理学に大きな影響を与えた。

物を組み合わせることで、標的にヒットする化合物を見つけるのだ。

　ただし、それも以前ほどはうまくいっていない。バイオテクノロジーは過去二世紀で劇的に進歩したものの、この数十年は投資家の期待に――患者の期待にも――応えられていない。創薬に関わるエルーム[*18]の法則はムーアの法則の反対で、一〇億ドル単位の研究開発費に対して承認される新薬の数は、一九五〇年以来、九年ごとに半減しているという。同じ期間に情報技術はこれまでにないスピードで進化してきたけれど、現在のバイオテクノロジーが今後ITと同じような進化を遂げるかどうかはまだわからない。では、バイオテクノロジーのスタートアップと、コンピュータソフトウェアのスタートアップを比べてみよう。

	バイオテクノロジー スタートアップ	ソフトウェア スタートアップ
題材	コントロール不可能な生物	完全に定義されたコード
環境	理解度低／自然	理解度高／人工
アプローチ	あいまい／ランダム	明確／エンジニアリング
規制	ガチガチの規制	基本は規制なし
コスト	高い（新薬ひとつにつき10億ドル以上）	安い（若干のシードマネー）
チーム	高給／非協調的なラボ	起業家精神を持った熱心なハッカー

*14　ロバート・ノージック／Robert Nozick
1938-2002年、アメリカの哲学者。個人の権利を侵害しない最小国家を論じた『アナーキー・国家・ユートピア』で『正義論』へ反論したリバタリアニズムの代表的論者。

バイオテクノロジーのスタートアップはあいまい思考の究極の例だ。研究者は、人体システムの働きについて確定的な理論に磨きをかけるよりも、うまくいくかもしれないという望みにすがって実験を繰り返す。根本にある生物学自体が難しいから、そうしたやり方しかないのだと生物学者は主張する。彼らに言わせれば、ITスタートアップがうまくいくのは、コンピュータがもともと人間の命令に従うように設計されているからだ。逆にバイオテクノロジーが難しいのは、人体が人間によって設計されたわけではなく、知れば知るほどより複雑になっていくからだ。

でも、バイオテクノロジーのスタートアップは、生物学そのものの難しさをビジネスへのあいまいな姿勢の言い訳にしているようにも見える。関係者のほとんどは、いつか何かがうまくいくだろうと期待していても、何がなんでも成功させようとひとつの会社に打ち込んでいる人は少ない。その最たる例が大学教授で、パートタイムのコンサルタントになることはあっても、フルタイムの社員になろうとはしない——自らの研究をもとに起業する場合でさえも。そうなると周りの誰もが教授のあいまいな態度を真似る。リバタリアンはガチガチの規制がバイオテクノロジーの進歩を妨げていると主張する。それは確かだけれど、バイオテクノロジーの未来にとっては、あいまいな楽観主義の方がはるかに大きな障害かもしれない。

*15　リバタリアン／libertarian
他者の権利を侵害しない限り各人は自由であり、政府が干渉すべきでなく、個人の自由意志を最大限尊重すべきとするリバタリアニズムを主張する人々。

あいまいな楽観主義は成り立つのか？

あいまいな楽観主義者が下す決断は、僕たちにどんな未来をもたらすのだろう？　アメリカの家計が貯蓄に励んでいれば、少なくとも使う金がいくらか残るはずだ。アメリカ企業が投資していれば、将来新たな富を手にすることが可能になるだろう。でも、アメリカの家計の貯蓄はゼロに近い。アメリカ企業は新しいプロジェクトに投資せずに現金を手元に積み上げている。未来への具体的な計画がないからだ。

あいまいな楽観主義以外の三つの見方は筋が通っている。明確な楽観主義は、思い描いた未来を築けば成り立つ。明確な悲観主義は、新しいものを取り入れず既存のものをコピーするこ

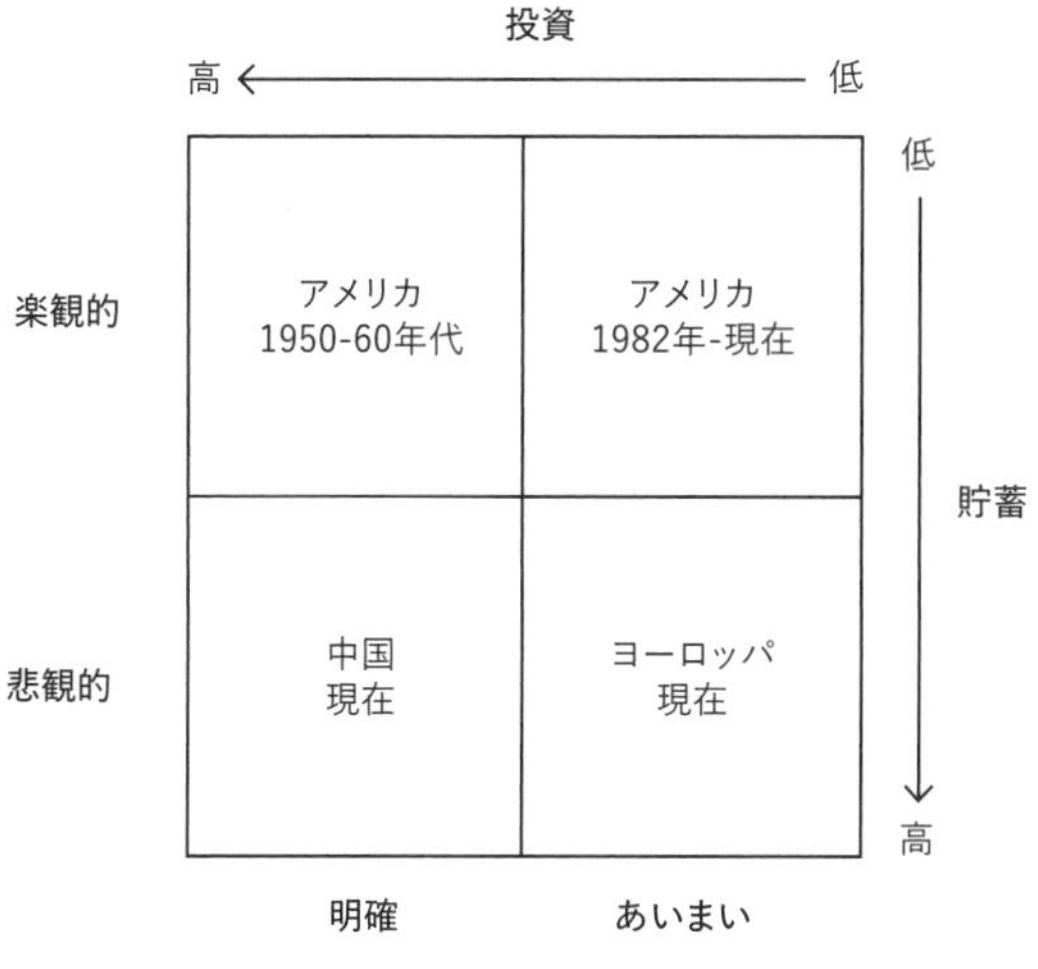

*16　フランシス・ベーコン／Francis Bacon

1561-1626年、イギリスの哲学者、神学者。「知識は力なり」という言葉で知られ、学問の体系化を目指した「経験哲学の祖」。

とで成り立つ。あいまいな悲観主義では自己予言が的中する――期待が低くやる気もなければ、未来は暗いものになるだろう。でも、あいまいな楽観主義はそれ自体矛盾している。誰も計画を持たないのに、どうして未来が良くなると言えるのだろう？

ただ、現代人のほとんどはこの問いへの答えを聞いたことがある――計画なき進歩とは、すなわち「進化《エボリューション》」だ。ダーウィンも、生命は誰が意図するわけでもなく「進歩する」と書いている。どんな生き物もほかの生命体のランダムな反復にすぎず、最適な反復が生き残るのだと。ダーウィンの説はカブトガニや恐竜の起源の説明にはなるかもしれないけれど、そこから限りなく遠い分野にまで応用できるのだろうか？　ニュートン物理学ではブラックホールやビッグバンが説明できないように、ダーウィンの生物学がより良い社会を築く方法や、ゼロから新ビジネスを立ち上げる方法に当てはまるとは限らない。それなのに、最近ではダーウィン的な（あるいはダーウィンまがいの）言い回しがビジネスの世界でも当たり前になってきた。ジャーナリストは競争市場での企業の生き残りを、競争的な生態系の中での種の生存にからめて表現する。新聞には「デジタル・ダーウィン主義」「ドットコム・ダーウィン主義」「最適クリック生存」といった見出しが躍っている。

エンジニア主導のシリコンバレーでさえ、今流行りの戦略といえば、変わり続ける環境に「適応」し「進化」する「リーン・スタートアップ」だ。起業家予備軍は、先のことは何もわからな

*17　ロバート・ボイル／Robert Boyle

1627-91年、アイルランドの貴族、哲学者、科学者。「ボイルの法則」などさまざまな業績で知られ、近代化学の祖とされる。

いのだと教えられる。顧客の欲求に耳を傾け、MVP[*19]（実用最小限の製品）以外は作らず、うまくいったやり方を反復すべきだと言われる。

だけど、「リーンであること」は手段であって、目的じゃない。既存のものを少しずつ変えることで目の前のニーズには完璧に応えられても、それではグローバルな拡大は決して実現できない。iPhoneでトイレットペーパーを注文するための最適アプリを作ることはできるだろう。でも、大胆な計画のない単なる反復は、ゼロから1を生み出さない。だから、あいまいな楽観主義者が起業するというのは、何より奇妙だ――成功を実現するための計画がないのに、どうやって成功するつもりなのだろう？　ダーウィン主義はほかの文脈では筋の通った理論かもしれないけれど、スタートアップにおいてはインテリジェント・デザイン[*20]こそが最適だ。

デザインの復活

偶然よりもデザインを優先させるとはどういうことだろう？　今どき「グッド・デザイン」は美の規範とされているし、遊び人からヤッピーまで誰もが念入りに外見を「キュレート[*21]」している。偉大な起業家は、確かに何よりもまず優秀なデザイナーだ。iと頭文字のつくデバイス

*18　エルームの法則／Eroom's law

ムーア（Moore）の法則の文字を逆にしたもの。ムーアの法則は「半導体の集積密度は18～24か月で倍増する」というもので、1965年にインテル創設者のひとりゴードン・ムーアが提唱した。

やなめらかに加工されたMacBookを手にした誰もが、ビジュアルにもユーザー体験にも完璧を目指すスティーブ・ジョブズのこだわりを感じるはずだ。でも、ジョブズから学ぶべきいちばん大切な教訓は、美しさとはなんの関係もない。ジョブズが残した最も偉大なデザインは、彼の会社だ。アップルは、新製品を開発し、効果的に販売するための明確な複数年計画を描いてそれを実行した。「MVP」なんていうちっぽけな考えは捨てよう。一九七六年にアップルを創業して以来、ジョブズはフォーカス・グループの意見を聞かず、他人の成功を真似ることもなく、念入りな計画によって世界を本当に変えられることを証明した。

短期的な変動の激しいあいまいな世界では、長期計画はたいてい過小評価される。二〇〇一年一〇月に初代iPodが発売された時、業界アナリストはこれを「マックユーザーのためのおもちゃ」で、その外の世界は「何も変わらない」と見ていた。ジョブズはiPodをPCに代わる新しい世代のポータブルデバイスの第一弾と位置づけていたのに、その隠れた真実はほとんどの人の目には映らなかった。アップルの株価グラフを見れば、この長期計画のもたらした恩恵がわかるはずだ。

非上場企業の評価が難しいことからも、計画がどれほど大切かがわかる。大企業が優良なスタートアップを買収する場合、買収価格は高すぎるか低すぎるかのどちらかだ。創業者が会社を売却するのは、自社の将来についての具体的なビジョンを持っていないからだ。その場合、買

*19　MVP／minimum viable product
最少労力かつ最短時間で作った必要最低限の機能のみを持つ製品。これを素早くリリースし、フィードバックを得て事業仮説を検証し改良するのがリーン・スタートアップの要諦とされる。

収価格はおそらく高すぎる。逆に、盤石な計画を持つ意思の固い創業者にとってはどんな価格でも低すぎるので、会社を売却することはない。二〇〇六年七月にヤフーがフェイスブックに一〇億ドルで買収を提示した時、僕は少なくとも考えてみるべきだと思った。だけど、マーク・ザッカーバーグは取締役会にやってきて、こう宣言したのだ。「オッケー、じゃ、形式だけ、ちゃちゃっと一〇分以内にすませちゃいましょう。ここで売るとかありえませんよね」。マークは自分がフェイスブックをどうしたいかをはっきりと思い描いていた。ヤフーはそうではなかった。未来をランダムだと見る世界では、明確な計画のある企業はかならず過小評価されるのだ。

NASDAQ：アップル

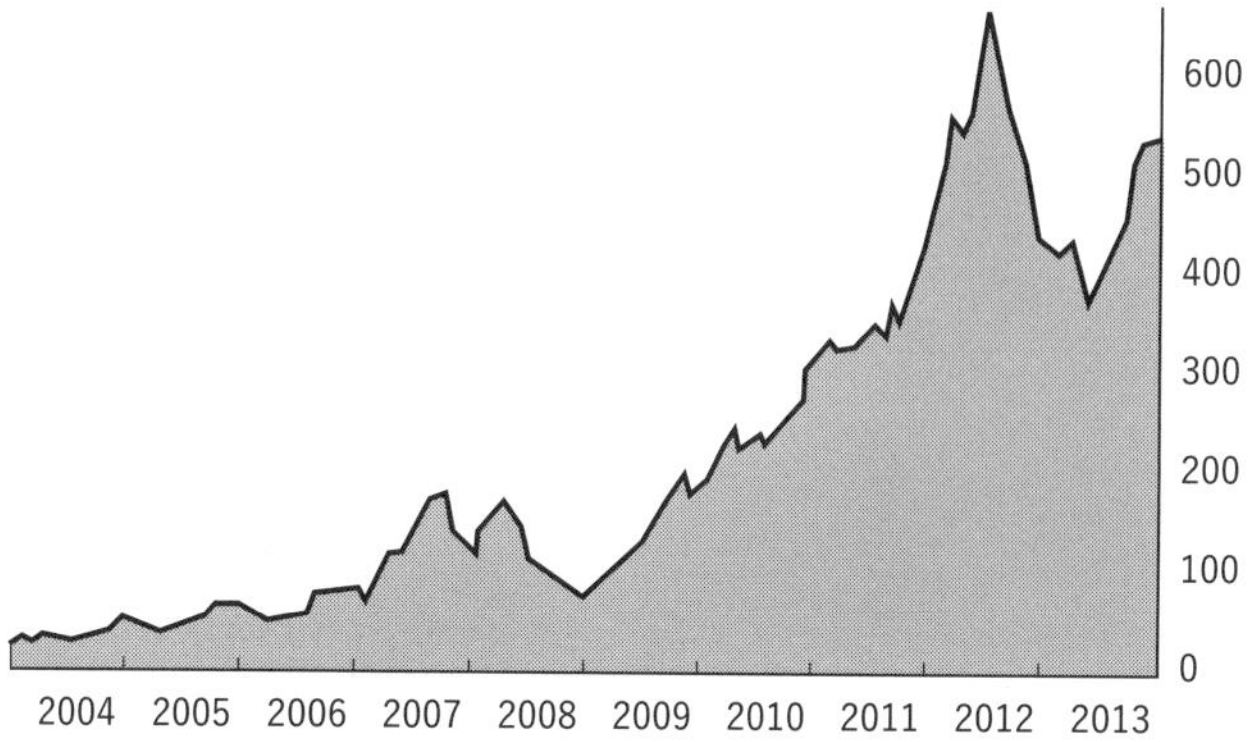

*20　インテリジェント・デザイン／Intelligent design

宇宙や自然界といったシステムは偶然生まれたのではなく、意図や目的を持つ「偉大なる知性」によってデザインされたとする理論。1990年代にアメリカの反進化論グループなどが提唱。

人生は宝クジじゃない

僕たちは明確な未来に戻る道を見つけなければならないし、欧米社会がそこに戻るには文化的な革命が必要だ。

では、どこから手をつけたらいいだろう？　ジョン・ロールズを哲学界から追放しなければならない。マルコム・グラッドウェルに自説を曲げさせなければならない。政界から世論調査をなくさなければならない。だけど、政治家はもちろんのこと、哲学者やグラッドウェルのような人々は自説を曲げない。頭脳と善意だけでは、こうした人々で溢れかえる世界に変化を起こすなんてことは不可能だ。

起業は、君が確実にコントロールできる、何よりも大きな試みだ。起業家は人生の手綱を握るだけでなく、小さくても大切な世界の一部を支配することができる。それは、「偶然」という不公平な暴君を拒絶することから始まる。人生は宝クジじゃない。

---

*21　キュレート／curate
情報を集めて整理し、新しい文脈から価値を加えてその情報を他者と共有すること。

7 カネの流れを追え

カネはカネを生む。「だれでも持っている人は更に与えられて豊かになるが、持っていない人は持っているものまでも取り上げられる。」（「マタイによる福音書」二五章二九節〔日本聖書協会新共同訳〕）。アルバート・アインシュタインは、それと同じ意味で、複利を「世界の八番目の不思議」「歴史上最大の数学的発見」そして「宇宙で最も大きな力」とまで呼んだ。どう呼ぶにしろ、彼の言いたかったことは明らかだ。指数関数的な成長を軽視してはならない。実際のところ、アインシュタインが本当にそう言ったという証拠はない。ただの言い伝えだ。でも、出典の怪しげなこの言い伝えの存在そのものが、内容を裏づけている。人生をかけて知性という元本に投資したアインシュタインは、自分が口にしてもいない言葉によっても認められ、今も墓場からその利子を受け取っているのだから。

たいていの言葉は忘れられてしまう。反対に、アインシュタインやシェイクスピアといった少数の選ばれた人たちの言葉は常に引用され復唱される。ほんの一部の少数派が、はるかに大きな影響を社会全体に与えることは決して少なくない。一九〇六年、経済学者ヴィルフレド・パレートは「パレートの法則」、いわゆる「80－20の法則」を発見した。二割の国民がイタリア国土の八割を所有していることに気づいたのだ。自分の畑のえんどう豆のさやの二割から八割のえんどう豆が生産されているのと同じ現象だった。ひと握りのグループが、残りのライバルをはるかにしのぐというこのパターンは、自然界にも人間の社会にも見られる。巨大地震は小さな地震すべてを合わせたより何倍も強い破壊力を持つ。小さな街をすべて合わせても、大都会にはかなわない。そして、独占企業は、これといった特徴のないライバル会社を一〇〇万社集めたよりも大きな価値を取り込むことができる。アインシュタインが言ったかどうかは定かではないけれど、分散に極端な偏りが出る「べき乗則」[*1]は万物の法則だ。それは僕らの周囲のあらゆる現象を支配しているために、僕らはふだんそれに気がつかない。

この章では、おカネの流れを追いながら、「べき乗則」を明らかにしていく。ベンチャーキャ[*2]

*1　べき乗則／power law

ある観測量がパラメータのべき乗に比例すること。パレートの法則やロングテールもべき乗則のひとつ。

ピタルは、アーリーステージ[*3]への投資によって指数関数的成長から利益を得ることを目論み、ほんの数社の価値が、ほかのすべての企業の価値をはるかに超える。ほとんどの企業はベンチャーキャピタルに世話になることはないけれど、ベンチャーキャピタリストでさえなかなか理解できないひとつのことを、誰もが認識しておく必要がある。僕たちが住んでいるのは正規分布の世界じゃない。僕たちはべき乗則のもとに生きているのだ。

ベンチャーキャピタルの〈べき乗則〉

成功しそうなアーリーステージのスタートアップを見つけ、資金を提供し、利益を得るのが、ベンチャーキャピタリストの仕事だ。彼らは機関投資家や富裕層から資金を募り、ファンドを作り、価値が上がりそうなテクノロジー企業に投資する。判断が正しければ、彼らはリターンの一部――通常は二〇パーセント――を受け取ることができる。ポートフォリオ[*4]に組み入れたスタートアップの価値が上がり、上場するか大企業に売却されると、ベンチャーファンドは儲けを手にすることができる。ベンチャーファンドの投資スパンは一〇年ほど、つまり企業が成長し「出口《イグジット》[*5]」を見つけるまでの期間だ。

*2　ベンチャーキャピタル／venture capital, VC

高い成長性が見込まれる未上場企業に資金をエクイティ投資する投資事業組合。投資判断に際して緻密な企業調査を行ない、資金面だけでなく経営に深くコミットして企業価値の向上を目指す。

とはいっても、ベンチャーキャピタルが支援するスタートアップのほとんどは上場することも売却されることもない。大半は失敗し、しかも創業からまもなく消えていく。多くの案件が初期に失敗するため、ベンチャーファンドが当初損失を出すのは避けられない。でも、数年のうちに優良投資先が指数関数的成長の段階に達して規模拡大を始め、損失を補ってあまりあるまでにファンド価値が上昇することを、ベンチャーキャピタリストは期待している。

問題は、この上昇がいつ起きるかだ。ファンドの大半は、その前に消滅する。ほとんどのスタートアップは失敗し、ファンドも一緒に失敗する。どんなベンチャーファンドも、成功するスタートアップを見つけることが仕事だという ことはわかっている。でも、ベテラン投資家で

優良ベンチャーファンドが描く

Jカーブ

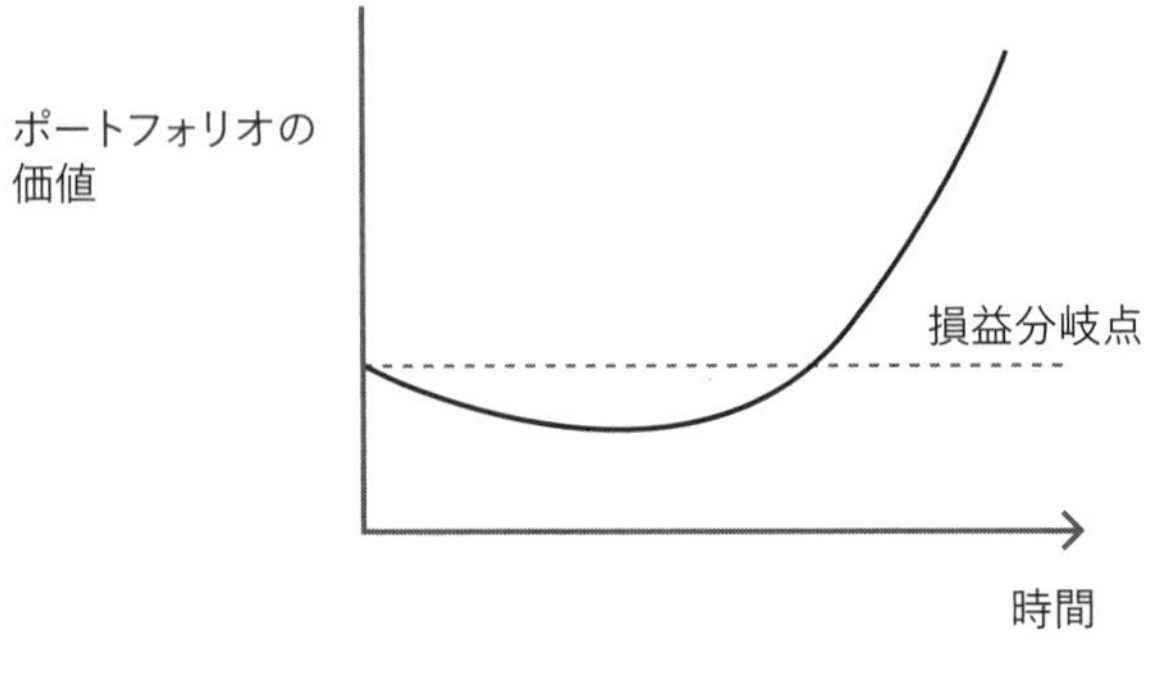

*3　アーリーステージ／ early stage

ベンチャー企業の投資における成長ステージ区分のうち、起業した直後の時期。ビジネスモデルの構築が課題で、まだマネタイズができていないことが多い。シードステージ、アーリーステージと続き、以後ミドルステージ、レイターステージとなる。

さえ、このことを表面的にしか理解していない。彼らは同じ企業は二つとないことをわかっていても、それがどれだけ違うかを充分にわかっていないのだ。

そもそもの間違いは、ベンチャー投資のリターンに正規分布を期待することにある。悪い会社は潰れ、そこそこの会社はトントンになり、優良企業は二倍から四倍のリターンをもたらす、と考えることが間違いだ。それらしいパターンを前提に、投資家はポートフォリオを分散し、勝ち組が負け組を補うことを願っている。

でも、この「下手な鉄砲も数打ちゃ当たる」作戦では、たいていひとつも当たらずに、ポートフォリオはゴミの山になってしまう。ベンチャーのリターンは正規分布ではないからだ。むしろベンチャーに当てはまるのは「べき乗則」だ——一握りのスタートアップがその他すべてを大幅に上回るリターンを叩き出す。だから、分散ばかりを気にかけて、圧倒的な価値を生み出す一握りの企業を必死に追いかけなければ、その稀少な機会をはじめから逃すことになる。

次頁のグラフは、企業格差に関する一般認識と現実のそれがどれほど違っているかを示したものだ。僕たちの運用する[*6]ファウンダーズ・ファンドの結果を見れば、この偏りがよくわかる。二〇〇五年に組成したファンド中、最良の投資となったフェイスブックは、ほかのすべての案件の合計よりも多くのリターンをもたらした。その次に成功した[*7]パランティアへの投資は、フェイスブック以外のすべての案件の合計を超えるリターンを生んだ。この極めて偏ったパター

*4　ポートフォリオ／portfolio
投資家が複数の金融商品に分散投資すること。また、その投資した金融商品の組み合わせ。

ンは、決して珍しいことじゃない。僕たちのすべてのファンドに同じパターンが見られる。**ベンチャーキャピタルにとっての何よりも大きな隠れた真実は、ファンド中最も成功した投資案件のリターンが、その他すべての案件の合計リターンに匹敵するか、それを超えることだ。**

　ということは、ベンチャーキャピタルには奇妙な鉄則が二つあることになる。第一の鉄則は、ファンド全体のリターンを一社で叩き出す可能性のある企業だけに投資すること。これには度胸がいる。投資可能な案件の大半がここで消えてしまうからだ（たとえ成功している企業でも、そこまでのリターンを生むことは珍しい）。ここから第二の鉄則が導かれる。つまり、第一の鉄則による縛りが厳しすぎて、それ以外のルールは設けられないというものだ。

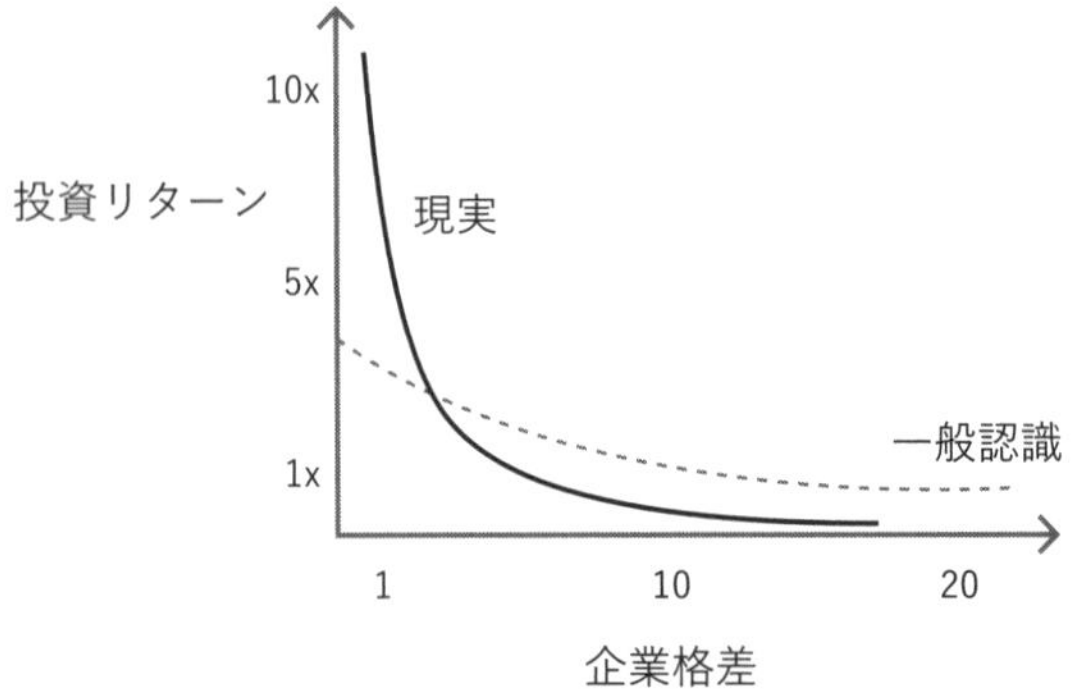

*5　イグジット／ exit

創業者やVCが株式の売却によって投下した資金を回収すること。株式公開（IPO）、企業売却（バイアウト）、株式譲渡といった方法がある。

第一の鉄則を破るとどうなるか考えてみよう。二〇一〇年、[8]アンドリーセン・ホロウィッツは[9]インスタグラムに二五万ドルを投資した。二年後にフェイスブックがインスタグラムを一〇億ドルで買収すると、アンドリーセンは七八〇〇万ドルの売却益を得た。二年足らずで投資額を三一二倍にしたわけだ。この衝撃的なリターンによって、アンドリーセンはシリコンバレーで最高のファンドという評判を確実にした。ただ、奇妙なことに、それではまったく足りなかった。というのも、アンドリーセンのファンドは一五億ドルを運用していたからだ。わずか二五万ドルの小切手を切るだけでは、トントンにするためにインスタグラムを一九社見つけなければならない。だから、ベンチャーファンドは投資に値する会社を見つけるとはるかに多額の資金をつぎ込む（念のために言っておくと、もし以前の投資案件との利益相反がなければ、アンドリーセンはその後の[10]ラウンドでさらに投資していたはずだ）。ベンチャーキャピタルはゼロから1を生み出す一握りの企業を見つけ、あらゆる手立てで彼らを支援しなければならない。

もちろん、どのスタートアップが成功するかを確実に予測できる人間はいないし、最高のベンチャーキャピタル・ファームでさえ、「ポートフォリオ」を組んでいる。それでも、**大規模に成功できる可能性があるスタートアップだけを組み入れるのが、良質のベンチャーポートフォリオだ。**ファウンダーズ・ファンドでは、各ファンドで五社から七社に投資するけれど、それぞれの投資先に独自の[11]ファンダメンタルがあり、数十億ドル規模に成長する可能性があると僕た

***6　ファウンダーズ・ファンド／Founders Fund**

ティールらが2005年にサンフランシスコで設立したベンチャーキャピタル。現在までに5つのファンドを運用し、航空宇宙、人工知能、先進コンピュータ、エネルギー、健康、消費者向けインターネットといったセクターの革新的なテクノロジーを持つさまざまなステージのスタートアップに投資している。

ちは考えている。投資の焦点が、ビジネスの本質から分散戦略にはまるかどうかという投資テクニックの問題に逸れてしまうと、ベンチャー投資は宝クジを買うのと変わらなくなる。そして、宝クジを買うようなものだと思い始めたとたん、君はすでに心の中で負けを覚悟しているのだ。

人はなぜ〈べき乗則〉に気づかないのか？

よりによって、プロのベンチャーキャピタリストがべき乗則に気づけないのはなぜだろう？ひとつには、リターンの偏りは時間が経たないと見えてこないけれど、テクノロジー投資家も、たいていは目の前のことで精一杯だからだ。独占企業となる可能性のあるスタートアップ一〇社に投資したと考えてみよう。それだけでも充分に規律のあるポートフォリオだ。指数関数的成長を始める前のアーリーステージでは、どの会社もほぼ同じに見える。

その後数年の間に消える会社もあれば、成功しだす会社もある。企業価値に差がつき始めるものの、それが指数関数的に成長するか直線的に成長するかはまだわからない。

そして一〇年後、ポートフォリオには勝ち組と負け組が混在するのではない。巨大な一社と

*7　パランティア／Palantir Technologies

ティールとロースクールの同級生アレックス・カープらがシリコンバレーで共同創業したベンチャー企業。NSA、FBI、CIAをはじめとする政府や企業にデータ統合のプラットフォームと情報解析ソフトを提供する。「パランティア」はトールキン『指輪物語』に登場する「遠くから見張るもの」という意の球形の石のこと。

ファンド初期

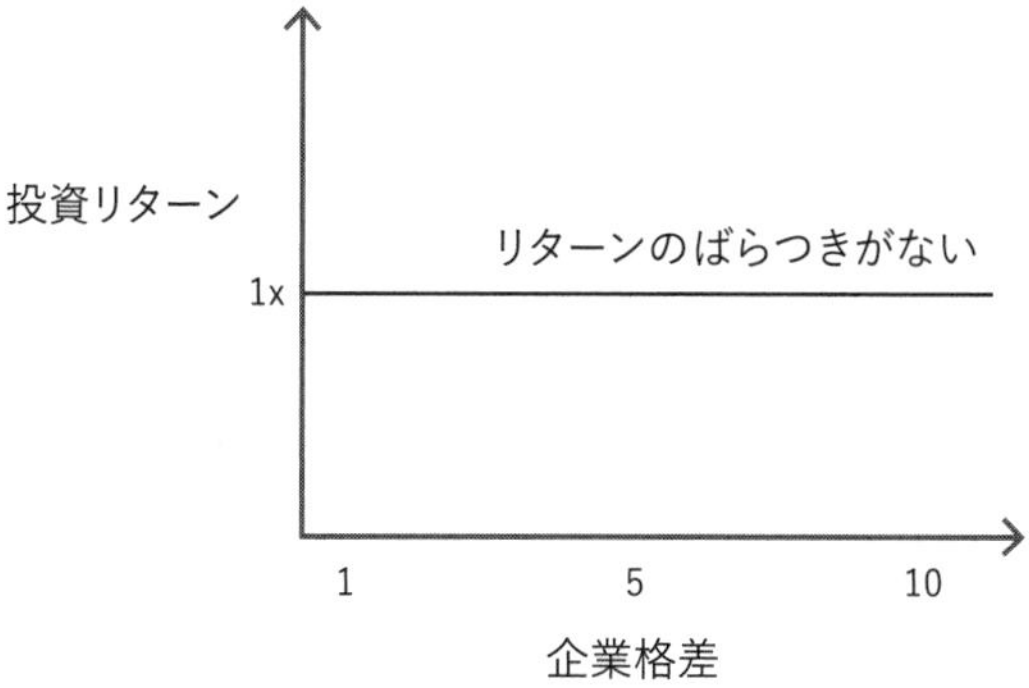

ファンド中期

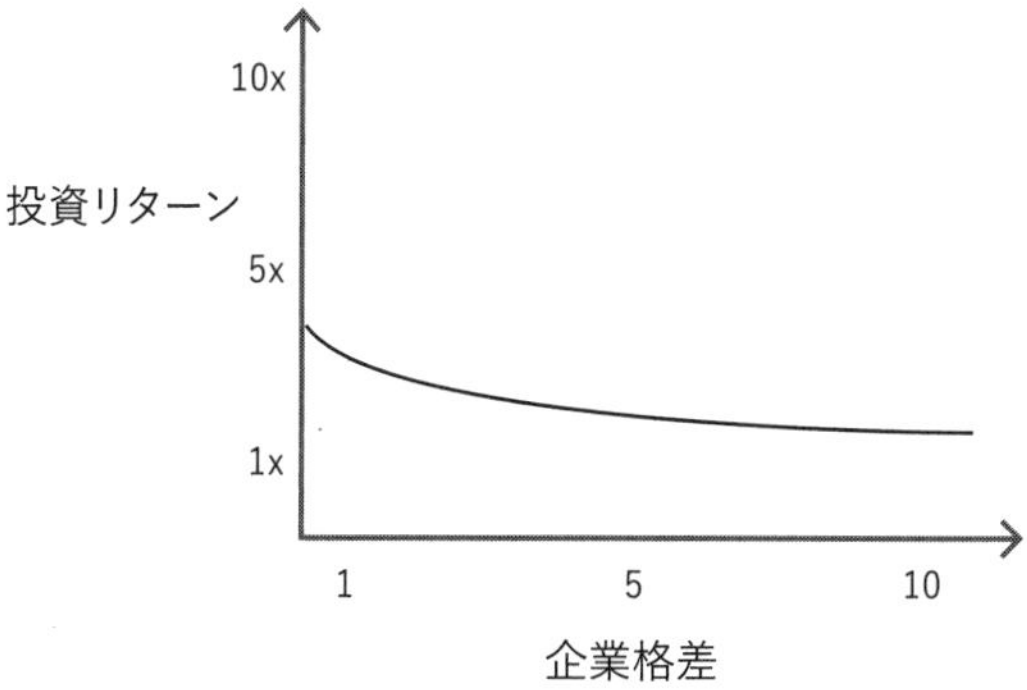

*8　アンドリーセン・ホロウィッツ／Andreessen Horowitz

2009年にマーク・アンドリーセンとベン・ホロウィッツによって設立され、Facebook、Twitter、Skypeなどへ出資しているシリコンバレーの名門ベンチャーキャピタル。

その他もろもろになる。

べき乗則の行き着く結果がどれほど明白でも、それを日常感覚として感じることはない。投資家は新規投資とアーリーステージ企業の支援にほとんどの時間を使い、そうした投資先の大半は「そこそこ」の企業だ。投資家と起業家は、相対的な成功度合いの違いを日々感じることはあっても、指数関数的に成長するか失敗するかを感じ取れるわけじゃない。それに、一旦行なった投資を諦めたくないために、ベンチャーキャピタルは明らかに大きな成功を期待できる案件よりも、いちばん問題の多い案件により多くの時間を使うことになる。

指数関数的な成長を期待できるスタートアップを専門にする投資家でさえ、べき乗則に気づかないとすれば、それ以外の誰もが気づかなく

成熟期のファンド

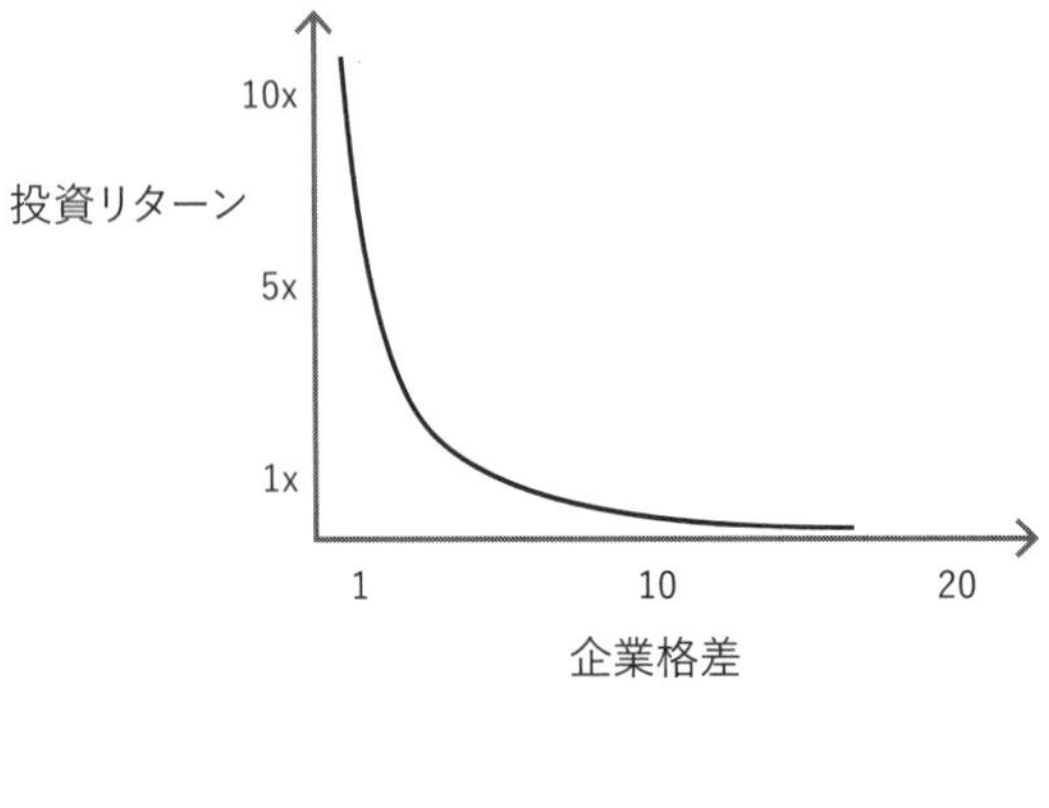

*9　インスタグラム／Instagram

2010年にBurbnによってリリースされた写真／ビデオ共有SNS。アンドリーセン・ホロウィッツらから50万ドルのシードマネーを調達して開発にあたった。

ても不思議じゃない。べき乗則の分布は偏りが大きすぎて、普通に見るだけでは気づかないからだ。たとえば、シリコンバレーの外にいる人たちのほとんどは、ベンチャーキャピタルといえばリアリティ番組の『シャーク・タンク』[*12]に出てくる少数精鋭の変わり者の世界を思い浮かべる――コマーシャルがないだけだ。実際にベンチャーキャピタルから資金を調達できるのは、アメリカで毎年生まれる新規企業の一パーセントにも満たないし、ベンチャーキャピタル投資の総額はGDPの〇・二パーセント未満だ。それでも、こうした投資の果実は経済全体を前進させるほどの大きな影響を持つ。ベンチャーキャピタルが支援する企業は、民間雇用の一一パーセントを創出している。これらの企業が生み出す収入はGDPの二一パーセントにも上る。事実、規模上位のテクノロジー企業一二社には、いずれもベンチャーキャピタルの資本が入っている。この一二社を合わせると、企業価値は一兆ドルを超える。つまり、**その他すべてのテクノロジー企業の合計よりも大きな価値を持つ**ということだ。

〈べき乗則〉をどう使う？

べき乗則を気にかけなければならないのは投資家だけじゃない。誰にとってもべき乗則は大

*10　ラウンド／round

ベンチャー企業に対してベンチャーキャピタルなどが出資する段階。シードラウンド、シリーズA、シリーズBと段階を追って投資ラウンドが続いていく。

切だ——なぜなら、世の中のすべての人は投資家だからだ。起業家にとっての最大の投資はスタートアップにつぎ込む時間だ。だからこそ、どんな起業家も自分の会社が成功して価値あるものになるかどうかを考えなければならない。すべての人は投資家にならざるをえない。君が仕事を選ぶとしたら、それが数十年後に価値のあるものになると信じて選ぶはずだ。

将来価値の問いに対するいちばん一般的な答えは、分散されたポートフォリオ——「すべての卵をひとつのカゴに入れるな」とよく言われるやつだ。最も成功しているベンチャー投資家でさえポートフォリオを組むと言ったけれど、べき乗則を理解している投資家は投資案件の数をできるだけ絞り込む。反対に、世間の知恵や金融の常識をもとにしたポートフォリオ思考では、分散投資こそが力の源泉だと考える。あれもこれも手を出してみる方が不確実な未来へのヘッジになるというわけだ。

でも、人生はポートフォリオじゃない——スタートアップの創業者だろうと、誰であろうと。起業家は自分自身を「分散」できない。ひとりで何十社も同時に経営できないし、その中のひとつがうまくいけばいいと祈ることもできない。もっと言えば、等しく可能性のあるキャリアをいくつも同時に進めて、人生を分散させることもできない。

学校ではそれと反対のことを教えている。学校教育は画一的に一般教養を受け渡すだけだ。アメリカの教育制度を通過すると、べき乗則で考えることができなくなる。高校の授業はどんな

*11　ファンダメンタル／fundamental

投資判断における企業の基礎的な情報。財務状況、販売動向や投資計画など。

科目も一コマ四五分と決まっている。生徒は全員同じようなペースで学ぶ。大学の優等生は、マイナーで珍しいスキルをたくさん集めて未来へのヘッジをかけることばかり考えている。どの大学も「卓越」を信じ、専攻にかかわらずアルファベット順に並んだ分厚い履修案内を発行して「何をしてもかまわないが、とにかくうまくやれ」と学生に保険をかけさせているようだ。だけどそれは大きな間違いだ。重要なのは「何をするか」だ。自分の得意なことにあくまでも集中すべきだし、その前に、それが将来価値を持つかどうかを真剣に考えた方がいい。

スタートアップの世界に関して言えば、たとえ君が非凡な才能を持っていたとしても、かならずしも起業がベストとは限らない。今は、起業する人が多すぎる。べき乗則を理解している人なら、ベンチャーを立ち上げることに躊躇するはずだ。成長の著しい超優良企業に入社すれば、破格の成功を手に入れられることを彼らは知っている。べき乗則のもとでは、企業間の違いは企業内の役割の違いよりもはるかに大きい。自分のスタートアップをすべて自己資金でまかなえば一〇〇パーセント株主になれるけれど、もし失敗すればすべてを失う。だけど、グーグルの〇・〇一パーセントを所有するだけで、信じられないほどの価値を保有できる（本稿執筆時点で三五〇〇万ドルを超えている）。

あえて起業するなら、かならずべき乗則を心にとめて経営しなければならない。いちばん大切なのは、「ひとつのもの、ひとつのことが他のすべてに勝る」ということだ。5章で述べたよ

*12　『シャーク・タンク』／*Shark Tank*

2001年から日本テレビで放送された人気番組「マネーの虎」のフォーマットを購入した米ABCが09年から放送。

うに、ある市場はその他すべての市場に勝る。11章で見るように、たいていの場合、ある販売戦略がほかのすべてを支配している。9章で紹介するように、時間と意思決定もまたべき乗則に従い、ある瞬間がほかのすべての瞬間よりも重要になる。べき乗則を否定して正しい判断を下すことはできないし、いちばん大切なことはたいてい目の前にはない。それが隠れていることもある。それでも、べき乗則の世界では、自分の行動がその曲線のどこにあるのかを真剣に考えないわけにはいかなくなる。

8 隠れた真実

今では当たり前とされているアイデアはどれも、かつては誰も思いつかず考えてもみないようなものだった。たとえば、三角形の三辺の数学的関係は、ピタゴラスが熟考の末に発見するまで、何世紀もの間、謎とされていた。ピタゴラスの教えを受けるには、彼の立ち上げた奇妙な菜食教団に入らなければならなかった。今ではピタゴラスの定理は常識となり、中高生は学校でそれを単なる事実として学んでいる。定説は重要だし、初等数学の学習は欠かせない。でも、それで人より賢くなれるわけじゃない。定説は「隠れた真実」ではないからだ。

あの逆説的な質問を思い出してほしい。「賛成する人がほとんどいない、大切な真実は何か?」もし、今すでに僕たちが自然界について知りうることをすべて知っていたら、もし、すべての定説が明かされ、あらゆることがすでに行なわれていたとしたら、あの質問への解は存在しなくなる。世の中に隠れた真実が残っていなければ、逆説的な考え方には意味がない。

もちろん、僕たちがまだ知らないことは多く、そのうちのいくつかは永遠にわからないかもしれない。それは隠れた真実というよりも解けない謎だ。たとえば、「ひも」と呼ばれる一次元の物質の振動によって宇宙の物理法則を解明するのが「ひも理論」だ。ひも理論は真実だろうか? これは実験では証明できない。この理論の意味するところをすべて理解している人もほとんどいない。でもそれは、この理論が単に難しいからだろうか? それとも、解けない謎だからなのか? その二つには大きな違いがある。難しいことには手が届いても、不可能なことには手が届かない。

例の逆説的な質問のビジネス版を思い出してみよう。「誰も築いていない、価値ある企業とはどんな企業だろう？」正解はかならず、「隠れた真実」になる。それは、重要だけれど知られていない何か、難しいけれど実行可能な何かだ。この世界に多くの知られざる真実が残されているとしたら、世界を変えるような会社がおそらく数多くこれから生まれるはずだ。本章では「隠れた真実」について考え、それをどう見つけるかについて探っていこう。

なぜ誰も隠れた真実を探さないのか？

世の中のほとんどの人は、知られざる真実なんてないかのように振る舞っている。その極端な例が、「ユナボマー」の悪名で知られるテッド・カジンスキーだ。カジンスキーは一六歳でハーバードに入学した天才児だった。その後数学の博士号を取り、カリフォルニア大学バークレー校の助教授となる。でも、彼の名前を世間に知らしめたのは、学者や技術者やビジネスマンにパイプ爆弾を送りつけるという一七年にわたるテロ行為だった。

一九九五年末、当局にはユナボマーの正体も居場所もわかっていなかった。最大の手がかりは、カジンスキーが報道関係者に匿名で送りつけた三万五〇〇〇語に及ぶ犯行声明だ。ＦＢＩ

は、事件解明のきっかけを摑もうと、大手新聞社に声明文の公開を要請。これが奏功する。カジンスキーの弟が文体に気づき、警察に通報した。

そう言うと、明らかな精神異常を示すような文体を想像するかもしれないけれど、犯行声明には不気味な説得力があった。彼は、どんな人間も、幸せになるには「達成に努力を要する目標が必要で、その目標の少なくともいくつかを達成しなければならない」と主張していた。

カジンスキーは人間の目標を次の三つに分類した。

1　最低限の努力で遂げられる目標
2　真剣に努力しないと遂げられない目標
3　どれほど努力しても遂げられない目標

簡単、難しい、不可能の典型的な三分法だ。現代人が鬱々としているのは、世界のすべての難しい問題がすでに解決されてしまったからだとカジンスキーは言っていた。あとに残ったのは簡単な目標か不可能な目標しかなく、それらを追いかけても満足感はまったく得られない。自分にできることは子どもにもできる。自分にできないことはアインシュタインにもできない。そこで、既存の制度を破壊し、すべてのテクノロジーを取り除けば、またゼロから難しい問題に取り組めると考えた。

カジンスキーのやり方は狂っているけれど、彼が感じたテクノロジーの進歩に対する幻滅は今の社会のいたるところに見え隠れしている。たとえばちょっとしたことだけれど、都会のトレンドセッターの間で流行しているものにも、この傾向は現れている。フェイクのビンテージ写真、カイゼル髭、ナイロンレコードのプレーヤーなど、どれもが人々がまだ明るい未来を描いていた時代を彷彿とさせる。やる価値のあることがもうやり尽くされたのだとしたら、成功になどまったく興味のないふりをして、バリスタにでもなった方がいい。

テロリストやトレンドセッターだけでなく、原理主義者はみなそう考える。たとえば、宗教的な原理主義者は、難しい質問の存在を許さない――子どもでもすぐに答えられるような単純な真実か、そうで

ヒップスターかユナボマーか？

なければ説明できない神の秘跡かのどちらかしか存在しないと考えるのだ。両極端の中間、つまり難しい真実が存在する場所は、異端とされる。環境主義という名の現代の宗教では、人は環境を守るべきだというのが単純な真実だ。それ以上のことは、母なる自然に任せるべきであり、自然に楯突くことは許されない。自由市場の信奉者も、似たようなロジックを使う――モノの価値を決めるのは市場である。株価は子どもにもわかる。だが、その価格が理にかなっているかどうかを疑ってはならない。市場は君たちよりはるかに多くを知っているのだから。

なぜ僕たちの社会は、知られざる真実なんて残っていないと思い込むようになったのだろう？確かに、世界地図に空白はない。君が一八世紀に生きていれば、まだ発見されてない場所があった。未開の地の冒険談を聞き、自分でも探検家になれた。一九世紀から二〇世紀のはじめまでは、おそらくそうだったのだろう。ナショナルジオグラフィックには、人跡未踏の最果ての辺境地を探検する白人の姿が多く残されている。今では探検家は歴史の本かおとぎ話の中にしか存在しない。親たちは、子どもが海賊や王様になることを望まないように、探検家になることも望まない。おそらくアマゾンの奥地のどこかにはまだ、知られざる種族が何十と暮らしているだろうし、海底深くには地球最後のフロンティアが残っているだろう。でも、現代において未知のものに出会うことはかつてないほど難しい。

物理的なフロンティアがほぼなくなったという自然の制約に加えて、四つの社会トレンドが隠れた真実への探求心を根っこから摘み取ろうとしている。ひとつ目は漸進主義だ。僕たちは幼い頃から、一度に一歩ずつ、毎日少しずつ、学年を追ってものごとを進めるのが正しいやり方だと教えられる。人より進みすぎたり、テストに出ないことを勉強しても、誰にも褒めてもらえない。期待されていることだけをきちんと行なえば（それを同級生よりも少しだけうまくやれば）、Aをもらえる。これが終身在職権を得るまでずっと続いていく。だから、学者たちは新たな分野に挑戦する代わりに、ありふれた論文を量産することになる。

二つ目はリスク回避だ。隠れた真実を恐れるのは、間違いたくないからだ。隠れた真実とは、言うなれば「主流が認めていないこと」だ。だから間違わないことが君の人生の目標なら、隠れた真実を探すべきじゃない。自分ひとりだけが正しいと思える状況、つまりほかの誰もが信じていないことに人生を捧げるのは、それだけでもつらい。自分が孤立していて、しかも間違っているかもしれないとなったら、耐えられないだろう。

三つ目は現状への満足だ。いわゆる社会のエリートたちは、新しい考え方を模索する自由と能力を誰より持ちあわせているのに、隠れた真実の存在を誰よりも信じていないようだ。過去の遺産でのうのうと暮らしていけるなら、隠れた真実を探す理由がどこにあるだろう？　トップのロースクールやビジネススクールの学長は、毎秋同じ内容のメッセージで新入生を迎え入れる。「君はこのエリート組織の一員となった。もう心配はいらない。人生安泰だ」と。だけど、本当に安泰なのは、人生安泰と思わない人だけだ。

四つ目は「フラット化」だ。グローバリゼーションが進むにつれ、人々は世界を同質的で極めて競争の激しい市場と見なすようになっている。世界は「フラット化」していると言うのだ。そうなると、隠れた真実を探そうという志を持つ人はまず、こう自問する。新しい何かが発見できるなら、世界のどこかで自分より賢くクリエイティブな人たちがそれをすでに見つけているのでは？　そういった疑念の声によって、隠れた真実を探し始める前に諦めてしまう。世界は大きすぎて、ひとりの力では何もできないと感じてしまうのだ。

こうしたトレンドには良い面もないわけじゃない。たとえば、今どき、カルト教団は成り立たない。四〇年前なら、まだ世界には知られざる知識が存在するという考えを、人々は受け入れていた。共産党からクリシュナ教[*1]にいたるまで、「道」を示してくれる啓蒙集団に入ってもいいと多くの人が考えていた。今、非伝統的な考えを真剣に受け止める人はほとんどいないし、主流の人々はそのことを進歩の証しだと見ている。頭のおかしいカルトが少なくなったのは喜ばしいけれど、それには大きな代償が伴った。まだ発見されていない真実への探究心を、僕たちは失ってしまったのだ。

*1　クリシュナ教／International Society for Krishna Consciousness

正式名称はクリシュナ意識国際協会。インド人宗教家A・C・バクティヴェーダンタ・スワミ・プラブパーダが1966年にニューヨークで設立。ジョージ・ハリスンやスティーブ・ジョブズも信者だった。

世間はこう見ている

隠れた真実の存在を信じない人たちは、世界をどんなふうに見ているのだろう？　人間がこの世の謎をすべて解明したと思っているはずだ。もしこうした今日の通念が正しいなら、ぬくぬくと過ごしたってかまわない。「神は天に召し、すべて世はこともなし」というわけだ。

たとえば、隠れた真実が存在しない世界では、完全な正義が実現していることになる。一方で、どんな不正義も、はじめからそこに道徳的な問題を見出すのはごく少数の人々だ。そして、民主的な社会では、大半の人が不正義だと思わない限り、間違った慣習が続けられる。奴隷制度をはじめから悪だと思っていたのは、少数の奴隷廃止論者だけだった。「奴隷制が悪い」という考え方は今では常識だけれど、一九世紀のはじめにはまだ隠れた真実だった。今の時代に知られざる真実はないというのは、隠れた不正義が存在しないというのと同じことだ。

経済において、隠れた真実が存在しないという思い込みは効率的市場への信仰につながっている。でも、金融バブルの存在は市場が驚くほど非効率になり得ることを示すものだ（しかも、市場は効率的だと信じる人が多いほど、バブルは大きくなる）。一九九九年当時、インターネットが不合理なほど過大評価されているとは誰も思いたがらなかった。二〇〇五年の不動産もそうだ。連邦準備制度理事会のアラン・グリーンスパン[*2]議長は「あぶくの兆しが見える地域もある」としな

*2　アラン・グリーンスパン／ Alan Greenspan

1926年ニューヨーク生まれの経済学者。87年から2006年まで連邦準備制度理事会（FRB）議長。その手腕が高く評価され議長を異例の５期務めた一方、歴史的な低金利政策が住宅バブルの一因とされた。

がらも、「全国的な住宅価格はバブルとまでは言えない」と述べていた。市場はすべての情報を反映しているはずだから、疑うべくもないものとされていた。その後、国中の住宅価格が下落して、二〇〇八年の金融危機では数兆ドルが消失した。未来には多くの隠れた真実があって、経済学者がそれを無視したからといって消えてなくなるわけじゃない。

企業が隠れた真実の存在を信じなくなったらどうなるだろう? ヒューレット・パッカード*3（HP）の凋落はその警告となるような事例だ。一九九〇年、HPの時価総額は九〇億ドルだった。その後に続いたのは発明の一〇年間だ。一九九一年、HPは世界一手頃なカラープリンタ、デスクジェット500Cを発売。一九九三年には世界初の「スーパーポータブル」ラップトップ、オムニブックを発表する。その翌年には世界初のプリンタ・ファックス・コピー複合機、オフィスジェットをリリース。この矢継ぎ早の新製品投入が成功する。二〇〇〇年半ば、HPの時価総額は一三五〇億ドルになっていた。

しかし、「発明」の重要性を打ち出し新たなブランド戦略を導入した一九九九年末から、HPは発明を止めてしまう。二〇〇一年にはHPサービスを立ち上げ、大々的にコンサルティングとサポート業務に乗り出す。二〇〇二年にはコンパックと合併する。ほかにすることがなかったからだろう。二〇〇五年までには時価総額は七〇〇億ドルに落ち込んでいた。それはわずか五年前のおよそ半分の価値だった。

*3 ヒューレット・パッカード／Hewlett-Packard Company
1939年にウィリアム・ヒューレットとデビッド・パッカードがパロアルトで創業したコンピュータ関連製品企業。2011年からCEOを務めるメグ・ホイットマンは1998年から2008年までeBayの社長兼CEOだった。

ＨＰの取締役会は機能不全の縮図だった——二つの派閥に分裂し、新しいテクノロジーを気にかけていたのはそのうちの片方だけだった。その派閥を率いていたのは、エンジニアのトム・パーキンスだ。彼は一九六三年にＨＰに入社し、ビル・ヒューレットとデイブ・パッカードに請われて研究開発部門を率いていた。二〇〇五年に七三歳だったパーキンスは、大昔の楽観主義の時代からやってきたタイム・トラベラーのような存在だった。彼は、最も将来性のあるテクノロジーを取締役会が特定し、ＨＰがそれを開発すべきだと思っていた。でも、パーキンスの派閥は、取締役会会長のパトリシア・ダン率いるライバル派閥に敗れた。金融出身のダンは、取締役会に未来のテクノロジーを特定する能力はないと主張した。取締役会はガードマン役に徹するべきだと考えていたのだ——会計は適切に行なわれているか？　規則は守られているか？

このお家騒動の間に、取締役の誰かがマスコミに情報を漏らし始めた。情報源を探るためダンが不法に盗聴器を仕掛けていたことが発覚し、もともとのお家騒動よりも大変な騒ぎとなって、取締役会の面目は地に落ちた。まだ発見されていないテクノロジー探しを諦めたＨＰは、ゴシップに取り憑かれた。その結果、二〇一二年末のＨＰの時価総額はわずか二三〇億ドルになっていた。インフレ調整後では一九九〇年とそれほど変わらない水準だ。

隠れた真実の例

隠れた真実は、探さなければ見つからない。アンドリュー・ワイルズ*4はそれを証明してみせた。三五八年間どんな数学者にも解けなかったフェルマーの最終定理を解いたのだ。天才たちが挑んでは敗れ去ってきたこの定理は、証明不可能だと考えられていた。一六三七年、ピエール・ド・フェルマーは、2を超える自然数nについて、$a^n + b^n = c^n$となる0でない自然数（a、b、c）の組は存在しないと予想を立てた。本人はそれを証明したと言っていたものの、書き残す前にこの世を去ったため、この定理は長らく未解決の予想として数学界に残っていた。一九八六年にこの定理に取り組み始めたワイルズは、証明に近づいたと感じた一九九三年まで、それを誰にも打ち明けなかった。そして九年間の努力の末、一九九五年にこの定理を証明した。頭の良さはもちろんだけれど、隠れた真実の存在を信じなければ、これを解き明かすことはできなかった。もし難しいだけのことを不可能だと思っていたら、解決への努力を始めようとも思わないだろう。隠れた真実の存在を信じることこそが、鍵となったのだ。

実際、隠れた真実はまだ数多く存在するけれど、それは飽くなき探究を続ける者の前にだけ姿を現す。科学、医療、エンジニアリング、そしてあらゆる種類のテクノロジーの分野で、できることはまだまだ多い。僕たちは目標に手の届くところまできている。それも、従来の研究

*4　アンドリュー・ワイルズ／Andrew John Wiles
1953年生まれのイギリスの数学者、オックスフォード大学教授。

分野における最先端の目標だけでなく、科学革命の熱烈な信奉者でさえ口にするのをためらうような大胆な目標に手が届くところに。僕たちは癌や痴呆や老化に伴うすべての疾病やメタボリックシンドロームを治すことができる。化石燃料をめぐる争いから世界を解放してくれるエネルギーを発見することもできる。地球上をより速く移動する手段を発明できる。あるいは、地表を出て新たなフロンティアに入植することさえできる。でも、こうした隠れた真実は、僕らが知りたいと要求し、強引にでもそこに目を向けなければ、決して学ぶことはできない。

ビジネスも同じだ。偉大な企業は、目の前にあるのに誰も気づかない世の中の真実を土台に築かれる。いつも僕たちの周りにありながら見過ごしていた余剰スペースを利用した、シリコンバレーのスタートアップを思い出してほしい。エアビーアンドビー[*5]ができる前、旅行者はホテルに高い部屋代を払う以外にほとんど選択肢はなく、不動産所有者は空き部屋を信頼できる相手に簡単に貸し出すことはできなかった。エアビーアンドビーは、ほかの人たちにはまったく見えなかった、未開拓の需要と供給に気づいたのだ。個人送迎サービスのリフト[*6]やウーバー[*7]にも同じことが言える。どこかに行きたい人と送りたい人をつなげるだけで数十億ドル規模のビジネスになると考えた人はほとんどいなかった。すでに州の認可を得たタクシーとリムジンサービスが存在していたからだ。隠れた真実の存在を信じ、それを探さなければ、目の前にあるチャンスに気づくことはできない。フェイスブックも含めて多くのインターネット企業が過

*5 エアビーアンドビー／Airbnb

2008年にブライアン・チェスキーとジョー・ゲビアらがサンフランシスコで設立。所有物件の空き部屋を短期で貸したい人と宿泊を希望する人をマッチングするサービス。Yコンビネーターをはじめ、セコイアキャピタル、アンドリーセン・ホロウィッツなど大手ベンチャーキャピタルが出資している。

小評価されるのは、それがあまりに単純なものだからで、それ自体が隠れた真実の存在を裏づけている。振り返ればごく当たり前に見える洞察が、重要で価値ある企業を支えているのだとすれば、偉大な企業が生まれる余地はまだたくさんある。

隠れた真実の見つけ方

隠れた真実には二種類ある——自然についての隠れた真実と人間についての隠れた真実だ。自然についての隠れた真実はいたるところに存在する。それを見つけるには、物理世界で発見されていないものを探さなければならない。でも、人間についての隠れた真実は違う。自分自身について知らないこともあれば、他人に知られたくなくて隠していることもある。だとすれば、どんな会社を立ち上げるべきかを考える時、問うべき質問は二つ——自然が語らない真実は何か？　人が語らない真実は何か？

自然についての隠れた真実こそが重要だと考える人は多い。というのもその分野の研究者たちは近寄りがたいほど権威があるように見えるからだ。物理学博士と一緒に働きにくい理由もそこにある。定理定説のほとんどを学んできた彼らは、「すべてを」知っていると思い込んでい

*6　リフト／Lyft

2012年にローガン・グリーンとジョン・ジンマーによってサンフランシスコで設立されたオンデマンド配車サービス。13年にシリーズCの投資ラウンドでアンドリーセン・ホロウィッツから6000万ドルを調達したほか、ファウンダーズ・ファンドからも資金調達をしている。

る。だけど、電磁理論を理解しているからといって、夫婦関係の優秀なカウンセラーになれるわけじゃない。引力理論の研究者が君のビジネスについて君より詳しいわけでもない。ペイパル時代、エンジニア候補の物理学博士を面接したことがある。ひとつ目の質問が終わらないうちに、彼はこう叫んだ。「そこまで！　何を訊きたいかわかりました！」だけど、彼は間違っていた。僕は即座に不採用と決めた。

人間についての隠れた真実はあまり重要だと思われていない。おそらく、人の秘密を明かすのに立派な学歴はいらないからだろう。人々があまり語ろうとしないことは何か？　禁忌やタブーはなんだろう？

自然の謎も人間の謎も、解き明かすと同じ真実に行き着くことがある。もう一度独占の謎を考えてみよう。**競争は資本主義の対極にある。**もしこのことをまだ知らないのなら、いくらでも実証的に調べることができる——企業収益を定量分析すれば、競争によって収益が失われることがわかるはずだ。同時に、人間的な側面から問うこともできる。経営者が口にできないことはなんだろう？　独占企業は注目を避けるために独占状態をなるべく隠し、競争企業はわざと自社の独自性を強調していることに気づくはずだ。表面的には企業間にあまり違いがないように見えても、実際には大きな違いがある。

秘密を探すべき最良の場所は、ほかに誰も見ていない場所だ。ほとんどの人は教えられた範

*7　ウーバー／Uber

2009年にガレット・キャンプとトラビス・カラニックによってサンフランシスコで設立され、翌年同名のサービスをローンチしたオンデマンド配車サービス。14年に日本でもサービスが開始された。

囲でものごとを考える。学校教育の目的は社会全般に受け入れられた知識を教えることだ。であれば、こう考えるといい——学校では教わらない重要な領域が存在するだろうか？　たとえば、物理学はすべての総合大学で主要な専攻科目として確立されている。占星術はその対極にあるけれど、重要な領域とは言えない。では、栄養学はどうだろう？　栄養は誰にとっても大切だけれど、ハーバードに栄養学の専攻はない。最も優秀な科学者たちは別の分野に進む。この分野の大規模研究のほとんどは三〇年から四〇年前に行なわれたもので、そのほとんどには深刻な間違いがある。低脂肪と大量の穀物中心の食事が推奨されてきたのは、科学の裏づけからではなく大手食品団体のロビー活動の結果だろう。おかげで肥満の問題はさらに悪化している。栄養について学ぶことは多いのに、僕たちははるかかなたの星についての方が詳しい。栄養学は簡単ではないけれど、不可能でないことは明らかだ。隠れた真実を見つけられるのは、まさにこういう分野だ。

隠れた真実を見つけたら、どうしたらいいだろう？

隠れた真実を見つけたら、どうするか。誰かに打ち明けるか？　それとも自分の中にしまっておくか？　それは内容によりけりだ。危険な真実もあれば、そうでないものもある。ファウスト[*8]はワーグナーにこう告げている。

どれだけの人が、ちゃんと認識したにせよ、
それを胸の奥にしまっておけず、
ついうっかり感じたこと、見たことをしゃべってしまった。
そのあげく、はりつけにされたり火あぶりになったりしたものだ
〔『ファウスト』、池内紀／訳、集英社文庫〕

完全に常識として通用するものでない限り、みんなにすべてを打ち明けるのは賢いやり方ではない。

では、誰に打ち明ければいいだろう？　君が伝える必要のある人だけに限定すべきだ。実際には、誰にも言わない場合と、全員に打ち明ける場合の中間に、ちょうどいい落とし所がある。それが企業だ。優秀な起業家は、外の人が知らない真実の周りに偉大な企業が築かれることを知っている。偉大な企業とは世界を変える陰謀だ——隠れた真実を打ち明ける相手は、陰謀の共謀者になる。

トールキンは『指輪物語』[*9]にこう書いた。

*8　ファウスト／Faust

ドイツの作家ゲーテの代表作『ファウスト』の主人公。作品は、南西ドイツに実在したファウストの伝説を題材にした戯曲の大作で、第1部が1808年、第2部が1833年に発表された。

道はつづくよ、先へ先へと、
戸口より出て、遠くへつづく。

人生は長い旅だ。先人の足あとが刻まれた道の終わりは見えない。でも、この物語の続きには、違う詩が現れる。

角を曲がれば、待ってるだろうか、
新しい道が、秘密の門が。
今日はこの道、す通りしても
明日またこの道、来るかもしれぬ。
そして隠れた小道を通り、
月か太陽へ、ゆくかもしれぬ。
〔瀬田貞二・田中明子／訳、評論社文庫〕

先人の通った道は行き止まりかもしれない。隠れた道を行くべきだ。

*9 『指輪物語』／*The Lord of the Rings*

イギリスの作家J・R・R・トールキンが1954年から翌年にかけて発表した長編ファンタジー小説。20世紀の文学において最もポピュラーな作品のひとつ。

9 ティールの法則

偉大な企業はいずれも独特だけれど、どの会社もいちばんはじめに正しく行なっておかなくてはならないことがいくつかある。僕がいつもそればかり言っているので、友人たちはこれを冗談っぽく「ティールの法則」と呼ぶようになった。「創業時がぐちゃぐちゃなスタートアップはあとで直せない」という法則だ。

何事も始まりの瞬間は特別だ。始まりの瞬間はその後のすべての瞬間と質的に異なっている。一三八億年前の宇宙の始まりもそうだった。最初のナノセカンドで、宇宙は一〇の三〇乗倍に膨張した。この最初の短い瞬間に宇宙は何度も生まれ変わり、物理法則自体も今僕たちが知るものとは違っていた。

二三八年前のアメリカ建国の瞬間もそうだった。憲法制定会議の最初の数か月間、根本的な問題の検討は、起草者たちに任された。中央政府はどこまで力を持つべきか？　議会への代表者をどう配分するべきか？　その夏フィラデルフィアで決まった妥協案をどう見るにしろ、そこで決まったことはそれ以降ほとんど変わっていない。一七九一年に権利章典を批准したあと、憲法が修正されたのは一七回にすぎない。カリフォルニアの人口はアラスカの五〇倍なのに、上院の議席数はいまだに同じだ。それはシステムの欠陥でなく特徴なのかもしれない。いずれにしろ、アメリカが存在する限り、このシステムはおそらく永遠に変わらないだろう。新しい憲法が制定されるとは考えにくい。現在議論されていることは、どれもそれに比べたら小さな問題だ。

その点では企業もまた国家と同じだ。はじめに判断を間違うと、たとえばパートナー選びに失敗したり、できない人間を雇ってしまったりすると、あとでなかなか修正できるものではない。破産の瀬戸際まで追い詰められない限り、誰もそれを正そうとしない。創業者の第一の仕事は、いちばんはじめにやるべきことを正しく行なうことだ。土台に欠陥があっては、偉大な企業を築くことはできない。

結婚生活を築く

何かを始めるにあたって、最も重要な最初の決断は、「誰と始めるか」だ。共同創業者選びは結婚のようなもので、創業者間の確執は離婚と同じように醜い。どんな人間関係もはじめは楽観的なムードに包まれている。うまくいかない可能性を冷静に考えると興ざめなので、誰も考えない。だけど、創業者の間で和解しがたい対立が生まれると、その犠牲になるのは企業だ。

ルーク・ノゼックは一九九九年にペイパルを立ち上げた共同創業者のひとりで、今も僕とファウンダーズ・ファンドで仕事をしている。ペイパルを始める一年前、僕はルークがほかの人と立ち上げた会社に投資した。それがルークの初めてのスタートアップだった。僕にとっても初めて投資した企業の一社だった。二人とも当時は気づかなかったけれど、そのベンチャーは最初から失敗するようにできていた。ルークと共同創業者の相性が最悪だったからだ。ルークは頭の切れる変わり者だった。パートナーは九〇年代のゴールドラッシュに乗り遅れまいとするMBAタイプの人間だった。二人はネットワーキングのイベントで出会い、しばらく話をして一緒に会社を立ち上げることにしたのだった。それはラスベガスのスロットマシンで隣に座った人と結婚するのとそう変わらない。大当たりするかもしれないけれど、たいていはうまくいかない。その会社は空中分解し、僕は大損した。

今スタートアップに投資する時には、創業チームを調べる。技術的な能力や補完的なスキルも重要だけれど、創業者がお互いをどれだけよく知っているかや、一緒にうまくやっていけるかも同じくらい重要だ。起業前に経験を共有している方がいい――そうでなければサイコロを振るようなものだ。

所有、経営、統治

仕事の相性が大切なのは創業者だけではない。スタートアップでは社員みんなが一緒にうまく働いていく必要がある。シリコンバレーのリバタリアンなら、個人事業主になれば問題はないと考えるだろう。フロイトやユングをはじめ、心理学者はみな、人間の心には多面性があると言うけれど、少なくともビジネスでは自分ひとりで仕事をしていれば何もかも一致する。ただ残念なことに、それでは作れる会社が限られてしまう。チームの存在がなければ、ゼロから1を生むことはとても難しい。

シリコンバレーのアナーキストなら、きちんとした組織の枠組みがなくてもうまくやっていける人材を採用すれば、完全な一致が保たれると考える。職場でのセレンディピティ[*1]や自由なカオスが、古い社会のおしきせのルールを「破壊」してくれるはずだと。ジェームズ・マディスン[*2]が言ったように、「人間がみな天使なら、政府など必要ない」はずだ。でも同時に「人間は天使ではない」ことをアナーキーな会社は見逃している。企業経営者と、彼らを監督する取締役の役割が分かれているのはそのためだ。創業者と投資家の権利が正式に決められているのもまた、同じ理由からだ。仲間と協力できる優秀な人材は必要だけれど、全員を長期的に一致させるような組織構造もまた必要だ。

企業内の不一致の原因を考えるには、次の三つの役割を区別するとわかりやすい。

・所有：株主は誰か？
・経営：実際に日々会社を動かしているのは誰か？
・統治：企業を正式に統治するのは誰か？

たいていのスタートアップは、創業者と従業員と投資家の間で所有権を分けあっている。日々の業務を行なうマネージャーと従業員が、実質的な経営を行なっている。そして通常は、創業

*1　セレンディピティ／serendipity
もともと探していたものとは別の、何か価値あるものを発見する能力。

者と投資家からなる取締役会が、統治を行なう。

理論的には、この分担がスムーズにいく。株式所有による金銭的なメリットが投資家と従業員を惹きつけ、彼らにリターンをもたらす。実質的な経営権は、創業者と社員にやる気と力を与える——自分たちで業務を遂行できるからだ。取締役会による監督は、経営陣の計画に俯瞰的な視点を与える。現実的には、こうした機能を別々の人たちに分散するのは理にかなっている反面、それが不一致の原因を何倍にも増やすことになる。

その不一致の極端な例が、自動車管理局（DMV）だ。たとえば運転免許の更新が必要になったとしよう。理論上は簡単にできるはずだ。DMVは政府機関で、アメリカは民主国家だ。すべての力は「国民」にあり、僕たちに奉仕する政府の代表者を選挙で選ぶのも国民だ。国民は、DMVの一部所有者だし、それを統治するのも選挙で選ばれた代表者だ。ならば、僕たちは堂々とそこに行き、必要なものを手に入れることができるはずだ。

もちろん、現実は違う。僕たち国民はDMVを「所有」しているかもしれないけれど、その所有権は絵に描いた餅のようなものだ。DMVで本当の権力を手にしているのは、日常業務をつかさどる事務員や威張りくさった役人たちだ。名目上の統治権を持つ知事や政治家でさえ、DMVを少しも変えることができない。選挙で選ばれた政治家がどんな手を打っても、官僚制度の壁は厚く、緩慢な組織体質は変わらない。誰にも説明責任を負わないDMVは、誰の利益と

*2　ジェームズ・マディスン／James Madison,Jr.
1751-1836年、バージニア州生まれの政治家。第4代アメリカ大統領。憲法の主要な執筆者のひとりで、「アメリカ合衆国憲法の父」と言われる。

も一致していない。役人は気分次第で免許交付を気持ちのいい体験にも悪夢にもできる。政治理論を楯に国民である僕らがボスだと言い張っても、サービスが良くなるわけじゃない。

大企業はＤＭＶよりはましだけれど、所有者と経営者の間では、とりわけこうした不一致が生まれがちだ。たとえば、ＧＭのような大企業のＣＥＯは自社株の一部を所有しているとはいえ、全体の中では取るに足らない割合だ。だから企業価値を上げるよりも、経営権を通して自分が得をしようというインセンティブが働く。好調な四半期業績を報告していれば、高給と社用ジェット機をキープできる。「株主価値との一致を図るため」という名目で報酬の一部に自社株を受け取っている場合でさえ、利害の不一致は忍び寄る。株式が短期業績の見返りならば、未来に株主価値を生むような計画に投資するよりも、コストを削減する方が経営者の得になるし、はるかに簡単でもある。

巨大企業と違って、初期のスタートアップは創業者が所有し経営する小さな所帯だ。対立が起きるのは、たいてい所有者と統治者の間、つまり創業者と取締役会の投資家との間だ。お互いの利害が次第に離れていくにつれ、対立の火種が膨らむ。取締役は自分たちのベンチャーファンドの成績を上げようとして、できるだけ早期に上場させようと目論み、一方で創業者は未上場のまま成長を目指そうと考える。

取締役会は身軽な方がいい。取締役の頭数が少ないほど、お互いのコミュニケーションが取りやすく、合意に達しやすく、効果的な監督が行なわれやすい。ただしそれは、対立時に少人数の取締役会が経営陣に強硬に反対できるということでもある。だからこそ、取締役を賢く選ぶことが極めて重要になる。取締役一人ひとりが君にとって大切になるからだ。問題のある取締役がひとりでもいると、それが頭痛の種になり、会社の将来をも台無しにしかねない。

取締役は三人が理想的だ。上場企業でない限り、五人を超えてはならない（上場企業になると法的規制により取締役の人数を増やさなければならない。平均は九人だ）。最悪なのは、ものすごい頭数を揃えた取締役会だ。非営利組織に何十人もの理事がいるのを見て、「あれほどたくさんの偉い人たちが関わっているなんてすごい組織だ！　運営がしっかりしているに違いない」と思うのは、世間知らずというものだろう。実際には、大人数の取締役会は効果的な監督を行なうことはできない。それでは、実際に組織を牛耳るミニ独裁者の隠れ蓑になるだけだ。取締役会の監視から逃れたければ、頭数を増やして取締役会を膨張させればいい。取締役会をきちんと機能させたければ、少人数にとどめることだ。

バスに乗るか、降りるか

一般論として、スタートアップに関わるすべての人間はフルタイムでなければならない。とはいえ例外もある。たとえば、弁護士や会計士は外部の人を雇う方が合理的だ。一方で、ストックオプション[*3]を持たない人や、固定給をもらう人とは、基本的に利害が一致しないと考えた方がいい。少なくとも、こうした人たちは短期的な利益に傾きがちで、将来価値を上げる助けにならない場合が多い。だから、コンサルタントを雇っても無駄だ。パートタイムの社員もうまくいかない。遠隔地勤務も避けるべきだ。仲間が毎日同じ場所で四六時中一緒に働いていなければ、不一致が生まれやすくなる。君が誰かを雇うなら、フルタイムか、雇わないかの二者択一でなければならない。ケン・キージー[*4]は正しかった。バスに乗るか、乗らないかのどちらかしかない。

「キャッシュ・イズ・キング」は間違い

仕事に一〇〇パーセント打ち込んでもらうには、報酬が適切でなければならない。僕はかならず、投資を求める起業家に、自分自身にいくら払うつもりかと訊くことにしている。ＣＥＯの給料が少なければ少ないほど、会社はうまくいく。これまで数百のスタートアップに投資し

*3　ストックオプション／stock option

企業の役員や従業員が、予め決められた価格で自社株を買う権利。株価が上昇した時点で権利を行使して株式を取得、売却することで株価上昇分の報酬が得られることから、業績向上のインセンティブとなる。

てきた中で、僕が気づいたひとつの明らかなパターンがそれだ。**ベンチャーキャピタルが投資するアーリーステージのスタートアップでは、CEOの年収は一五万ドルを超えてはならない。**以前にグーグルではるかに稼いでいたとか、多額の住宅ローンを抱えているとか、子どもの私立学校の学費がかかるとか、そんなことは関係ない。CEOが年間三〇万ドル以上給料を受け取っていると、創業者ではなく政治家のようになってくる。高額報酬は現状維持のインセンティブとなるだけで、社員と協力して積極的に問題を表に出して解決していく動機にはならない。逆に、現金報酬の少ない経営者は企業全体の価値を上げることに力を注ぐ。

CEOの給料が低ければ、それが全員の基準になる。ボックスCEOのアーロン・レヴィ[*5]は、自分の報酬が社内でいちばん低くなるようにいつも気をつけていた。起業から四年たっても、彼は本社から二ブロック離れた一部屋のアパートに住み、マットレス以外の家具は持たなかった。社員全員がアーロンの打ち込みように気づき、それを手本にした。経営者は給料をいちばん低く設定するのでなければ、給料の上限を引き下げて、模範を示すこともできる。自分の給料を控え目にして、それを現金報酬の上限とすればいい。

現金は魅力的だ。どんな使い方もできる。給与小切手をもらえば、それを好きにしていい。でも、高額の現金報酬は、現在の企業価値を社員に分け与えることになるだけで、時間を投資して未来に価値を生み出そうというインセンティブにはならない。現金のボーナスは固定給より

*4　ケン・キージー／Kenneth Elton Kesey
1935-2001年、コロラド州生まれの作家。代表作に『カッコーの巣の上で』がある。ヒッピーコミューン「メリー・プランクターズ」のリーダーとして、サイケデリックに塗装されたバスに乗って全米を回った。

も少しはましだ——少なくとも、手にできるのは仕事がうまくいったらという条件がついている。でも、いわゆるインセンティブ報酬は短期思考と価値の摑み取りを助長する。どんな形であれ、現金報酬は未来より現在を優先させるものだ。

利害の一致

スタートアップは高給を支払わなくていい。給料よりいいものを提供できるからだ——自社の所有権だ。自社株という報酬形態は、社員の意識を未来価値の創造へと向ける。

とはいえ、株式によって利害対立でなく社員のコミットメントを引き出すには、与え方に注意する必要がある。全員に同じ数の株式を与えるのは良くない。社員はそれぞれに違った才能と責任があり、機会費用も違う。株式数を同じにすると、はじめからいい加減でフェアでないと思われる。一方で、最初から人によって差をつければ、公正さに欠けると思われるはずだ。創業期の恨みは致命傷になりかねないけれど、所有権の分配についてはそれを完全に避けるようなやり方はない。

この問題は、社員の数が増えるにつれてさらに大きくなる。より大きなリスクをとった初期

*5 ボックス／Box
2005年にアーロン・レヴィらがワシントン州で創業したオンライン・ファイルシェア／クラウドサービス。

の社員は持ち株数も多いものだけれど、後から入社した社員の方が企業の成功に欠かせない存在となることもある。一九九六年にイーベイに入社した秘書は、一九九九年に入社した業界のベテラン上司より二〇〇倍も得をしているかもしれない。二〇〇五年にフェイスブックのオフィスの壁を飾った落書きアーティストが受け取った株式は二億ドルにもなった一方で、二〇一〇年に入社した才能あるエンジニアは二〇〇万ドルしか儲けていないかもしれない。完璧にフェアな配分は不可能なので、創業者は詳細を開示しない方がいい。各人の持ち株割合リストを全社メールで流すのは、会社に核爆弾を落とすようなものだ。

ほとんどの人は株式など欲しがらない。以前にペイパルで、儲けになる事業開発案件の交渉を助けるという約束でコンサルタントを雇ったことがある。彼がうまく交渉したのは、日給五〇〇〇ドルの現金報酬だけだった――株式オプションの受け取りは拒否した。スタートアップのシェフが億万長者になったという話には事欠かないのに、ほとんどの人は株式を敬遠する。株式は現金のような流動性がない。特定の会社だけに結びついている。その会社が成功しなければただの紙切れになる。

そうした制約があるからこそ、株式は強力なツールになる。現金よりも所有権がいいという人は、長期的な志向があって、会社の将来価値を上げることにコミットしているとわかる。株式は完璧なインセンティブにはならなくとも、社員全員の利害を大まかに一致させるにはいちばん役に立つ。

起業の瞬間を引き延ばす

ボブ・ディラン[*6]は言っている。「生まれるのに忙しくない人間は、死ぬのに忙しい」と。彼の言葉が正しければ、誕生とは一瞬の出来事ではなく、少なくとも詩的な意味では、ずっと引き延ばせるものらしい。でも、起業の瞬間は本当に一度だけだ。未来価値の創造に向けて人々を一致させるルールを作るチャンスは、そのスタートの瞬間にしかない。

最も価値ある企業は、すべての始まりである発明に対してオープンな姿勢をずっと貫いている。創業のこの側面については、あまり理解されていない――新しいものを作り出している限り「創業」は続き、それが止まると「創業」も終わるのだ。創業の瞬間に正しいことを行なえば、価値ある企業を創造する以上のことができる。つまり、受け継いだ成功のしもべとなる代わりに、遠い将来にわたって新しいものを創造できる企業を生むことができる。起業の瞬間を永遠に引き延ばすことさえできるかもしれない。

*6　ボブ・ディラン／Bob Dylan

1941年ミネソタ州生まれのミュージシャン。62年のデビュー以来、ロックとポピュラー・ミュージックに最も大きな影響を与えたひとり。引用は彼の「It's Alright, Ma (I'm Only Bleeding)」より。

10 マフィアの力学

思考実験をやってみよう――理想の企業文化とはどのようなものだろう？　社員が仕事を好きでたまらない。会社に行くのが楽しくて仕方なく、勤務時間は形ばかりで誰も時計を気にしない。職場はオープンで仕切りがなく、社員が家のようにくつろげる。ファイル棚よりクッションや卓球台の方が多い。無料でマッサージが受けられて、カフェテリアには寿司職人が常駐し、ヨガ教室なんかもある。ペット同伴もOK。オフィスの水槽にたくさんの熱帯魚が泳ぎ、社員のペットが会社のマスコットになっている。

どこかおかしくないだろうか？　シリコンバレーを有名にしたバカバカしい福利厚生のいくつかもこの中にあるけれど、すべて中身がない。中身のない福利厚生には意味がない。インテリアデザイナーを雇ってオフィスを飾ったり、人事コンサルタントを雇って社内ポリシーを作り直したり、ブランディング専門家を雇って会社のキャッチフレーズを作っても、意義のあることなんて何も達成できない。「企業文化」は企業そのものから離れては存在しない。企業にとって文化とは持つものじゃない。企業そのものが文化だ。スタートアップとは使命を共有する人びとの集まりであって、良い企業文化とはその姿を反映しているにすぎない。

仕事を超えた関係

僕が作った最初のチームはシリコンバレーで「ペイパル・マフィア」として知られるようになった。メンバーの多くがテクノロジー企業の立ち上げに参画したり投資したりして成功してきたからだ。僕たちは二〇〇二年にペイパルを一五億ドルでイーベイに売却した。それからイーロン・マスクはスペースXを立ち上げ、テスラ・モーターズの共同創業者となった。リード・ホフマン[*1]はリンクトインを共同で創業。スティーブ・チェン[*2]、チャド・ハーリー[*3]、ジョード・カリ[*4]

*1　リード・ホフマン／Reid Garrett Hoffman
1967年カリフォルニア州生まれの起業家、エンジェル投資家。Apple、富士通を経て97年にSocialNet.comを共同創業、2000年からPayPalのCOO、のちに上級副社長。02年にLinkedInを共同創業、ティールらが出資している。11年にIPO。

ムらは一緒にユーチューブを立ち上げた。ジェレミー・ストップルマンとラッセル・シモンズは[*5]イェルプを創業。[*6]デビッド・サックスはヤマーを立ち上げ、[*7]僕は友人とパランティアを創業した。[*8]今日、この七つの会社はどれも一〇億ドル以上の価値を持つ。ペイパルの福利厚生がマスコミの話題になることはなかったけれど、その時のチームはグループでも個人でも非凡な成果を上げ続けている。僕たちの強烈な文化は、最初の会社を超えて広がったのだ。

こうしてマフィアが集まったのは、単に履歴書を見ていちばん優秀な人間を選んだからじゃない。経歴重視の採用に良し悪しの両面があることは、ニューヨークの弁護士事務所で働いた時に実感していた。僕の事務所の弁護士たちは価値あるビジネスを行なっていたし、一人ひとりが並外れて優秀だった。一方で、お互いの関係は不思議と希薄だった。一日中同じ場所で過ごしているのに、事務所から一歩出るとほとんど話すこともないようだった。好きでもない相手とどうして一緒に働いているんだろう？　金を稼ぐには仕方のない犠牲だとみんな考えているようだった。でも、案件ごとに働く人間が入れ替わり、単なる仕事だけの関係しか持てない職場は、冷たいなんてものじゃない。それに、合理的でもない。時間はいちばん大切な資産なのに、ずっと一緒にいたいと思えない人たちのためにそれを使うのはおかしい。職場にいる間に長続きする関係が作れないなら、時間の使い方を間違っている。投資に値しないということだ。

*2　スティーブ・チェン／Steve Shih-chun Chen

1978年台湾出身。イリノイ大学アーバナ・シャンペーン校で同級生だったレヴチンの誘いでPayPalでエンジニアリングマネージャーを務め、同社の中国進出に従事。その後Facebookのエンジニアを経て2005年にYouTubeを共同創業、CTOを務めた。

僕ははじめから、ペイパルを単なる取引の場ではなく固いつながりのある場所にしようと思っていた。絆が強いほど、居心地がよく仕事も捗るし、ペイパル以降のキャリアもうまくいくと考えたのだ。そこで、僕たちは一緒に働くことを心から楽しんでくれる人たちを雇うことにした。才能はもちろん必要だけれど、それよりも、ほかでもない僕たちと働くことに興奮してくれる人を採用した。それがペイパル・マフィアの始まりだった。

共謀者を採用する

採用はどの企業にとっても核をなす。だから決して外部に委託してはいけない。履歴書が立派なだけでなく、会社にとけ込んで一緒に働いてくれる人が君には必要だ。起業当初の四、五人は株式の割り当てや肩書に釣られることも多い。でもこうした明らかな役得よりも重要なのは、次の質問への答えだ――**二〇人目の社員が君の会社に入りたいと思う理由はなんだろう？**

才能ある人材なら、君の会社で働かなくてもいい。引く手あまただからだ。だからこの質問を、さらに具体的に問い直してみよう――**グーグルでもほかの会社でもより高給でより高い地位につける人が、二〇番目のエンジニアとして君の会社を選ぶ理由はなんだろう？**

*3　チャド・ハーリー／Chad Meredith Hurley

1977年ペンシルベニア州生まれ。PayPalにはユーザーインターフェース・デザイナーとして入社し、そこで後のYouTube共同創業者となるスティーブ・チェン、ジョード・カリムと出会う。2010年までYouTubeのCEO。

ダメな答えをまず挙げよう。「他社よりストックオプションの価値が高くなる」「優秀な人たちと仕事ができる」「差し迫った社会問題の解決に役立つことができる」。株式価値、優秀な仲間、差し迫った問題の何が悪いのか？　何も悪くない。ただ、ほかの会社でも同じことが言えるので、君の会社が特別ということにはならない。他社と変わらない一般的な売り文句では、君の会社を選んではもらえない。

いい答えは君の会社に固有のもので、この本の中にはない。だけど、いい答えは大まかに二つに分類される。ひとつは君の会社の使命について、もうひとつはチームについてだ。君の使命に説得力があれば必要な人材を惹きつけられる。その使命の漠然とした重要性ではなく、ほかの会社ができない大切なことを君の会社がなぜできるのかを説明しなければならない。それこそが、君の会社だけが持つ固有の重要性だ。ペイパルでは、米ドルに代わる新たなデジタル通貨を創るという使命に興奮できる人を採用しようとした。もし興奮できなければ、この会社には合わない。

とはいえ、偉大な使命だけでは充分じゃない。仕事のできる候補者なら、こうも考えるはずだ。「ここにいる人たちと一緒に働きたいだろうか？」そこで、君の会社が候補者と個人的に相性がいいことを説明できなければならない。説得できなければ、おそらく相性が悪かったということだろう。

*4　ジョード・カリム／Jawed Karim

1979年東ドイツ生まれ。イリノイ大学アーバナ・シャンペーン校在学中の2000年にPayPalに入社。チェンやハーリーと共に05年に退社してYouTubeを立ち上げる。以後は運営に関わらずスタンフォード大学のコンピュータサイエンスの修士号を取得。

何よりも、待遇競争をしてはいけない。無料のクリーニングサービスやペットホテルなどに惹かれるような人材は、チームの役には立たないはずだ。健康保険のような基本をカバーしたら、あとは他社にできないことを約束すべきだ。それは、素晴らしい仲間と独自の問題に取り組める、替えのきかない仕事のチャンスだ。おそらく報酬や福利厚生では二〇一四年のグーグルに勝つことはできないけれど、使命とチームについての正しい答えがあれば、一九九九年のグーグルになることができる。

パーカーの下にあるもの

スタートアップは、外から見たときに社員がみな同じように違っていなければならない。

業界によってみんながスキニージーンズを穿いていたり、みんながピンストライプのスーツを着ていたりする東海岸と違って、マウンテンビューとパロアルトの若者はTシャツを着て仕事に行く。テック企業の社員は着るものに気を遣わないとよく言われるけれど、Tシャツをよく見ると会社のロゴが入っているし、社員がかなり気を遣っているのがわかる。スタートアップの社員は、同僚と同じブランドのTシャツやパーカーを着ているので、外から見ると同じ会

*5　ジェレミー・ストップルマン／Jeremy Stoppelman

1977年バージニア州生まれ。イリノイ大学アーバナ・シャンペーン校卒業後、Xドットコムで働き、PayPal合併後はエンジニア担当上級副社長。その後ハーバード・ビジネススクールで学びYelpを創業。

社にいることが一目瞭然だ。その制服の下には単純ながら重要な原則が隠れている——君の会社の誰もが同じように違っていなければならない。彼らは企業の使命に心から打ち込む、同じ志の一族《トライブ》なのだ。

ペイパルの共同創業者のマックス・レヴチンは、スタートアップの初期の社員にはできるだけ似通った人間を集めるべきだと言う。スタートアップは少人数で経営資源も限られている。素早く効率的に動かなければ生き残れないし、それには同じ考え方の人が集まっている方がやり易い。初期のペイパル・チームがうまくいったのは、全員が同じタイプのおたくだったからだ。僕らはみんなSFが大好きだった。ニール・スティーヴンスンの『クリプトノミコン』[*9]は必読書で、コミュニストっぽい『スター・トレック』よりもキャピタリストっぽい『スター・ウォーズ』の方が好きだった。そして何よりも、政府ではなく個人がコントロールするデジタル通貨を創り出すことに全員が取り憑かれていた。この会社を成功させるには、外見や出身地で採用するのではなく、入社する人がみんな僕たちと同じくらいこだわりを持っていなければならなかった。

ひとつのことに責任を持つ

*6　イェルプ／Yelp

2004年にサンフランシスコで創業されたローカルビジネスのディレクトリおよびレビューサービス。初期にレヴチンが出資している。09年にGoogleが買収の意思を示すと、スティーブ・ジョブズはCEOのストップルマンに断るよう説得している。12年にIPO。

スタートアップでは、中の全員がそれぞれまったく違う仕事で際立たなければならない。

スタートアップでの仕事の分担を、適材適所を目指した最適化問題と考えることもできる。でも、完璧な解をどうにか出したとしても、すぐに壊れるはずだ。ひとつには、スタートアップは素早く動かなければならないので、個人の役割が長く固定されることはない。それに、仕事の分担は単なる社員とタスクの関係にとどまらない。社員同士の関係も、タスクの配分にかかわってくる。

ペイパルの経営者として僕が取った最善の策は、ひとりにひとつの責任を任せることだった。各社員が受け持つひとつの仕事はどれも違っていて、その仕事だけによって僕が評価を下すことを誰もがわかっていた。最初は人材管理を単純化するために始めたことだった。でも、後になってもっと深い効果に気づいた――役割をはっきりさせることで、対立が減ったのだ。たいていの社内の争い事は、社員が同じ仕事を競う時に起きる。アーリーステージのスタートアップは役割が流動的なので、とりわけそうしたリスクにさらされやすい。社内の競争をなくせば、単なる仕事を超えた長期的な関係を築きやすくなる。さらには、社内の平和こそ、スタートアップの生き残りに必要なものだ。スタートアップの失敗と聞くと、競争市場の中で獰猛なライバルに倒されたに違いないと思われがちだ。でも、それぞれの会社には独自の生態系があって、

*7　デビッド・サックス／David Oliver Sacks

1972年南アフリカ生まれ。スタンフォード在籍中にティールと共に保守系リバタリアン紙スタンフォード・レビューを編集、書籍*The Diversity Myth*を共同執筆した。99年にマッキンゼーを辞めPayPalのCOOに就任。その後ハリウッドでの映画製作、家系図作成支援サイトGeni.comの創業を経てYammerを創業。

内部の縄張り争いは外部の脅威に対して組織を脆弱にする。内部闘争は自己免疫疾患のようなものだ。直接の死因は肺炎だとしても、本当の原因は自分の中に隠れている。

カルトとコンサルタントの間

究極の組織のメンバーは、同じ組織のメンバーとしかつるまない。彼らは家族を無視し、外の世界を遮断する。だけど、それと引き換えに強い仲間意識で結ばれ、普通の人が否定するような神秘的な「真実」に到達する。そんな組織はこう呼ばれる――「カルト」。完全な献身を求める文化は外から見ると狂気に映る。悪名高いカルトのほとんどは残忍だったからだ。ジム・ジョーンズもチャールズ・マンソンも最期は悲惨だった。

でも、起業家は究極の献身の文化を真剣に受け止めるべきだ。生ぬるい仕事ぶりは心が健全なしるしだろうか？　単なる仕事と割り切った態度が、まともなやり方なのだろうか？　カルトの対極は、アクセンチュアのようなコンサルティングファームだ。彼らに組織固有の際立った使命はなく、コンサルタントの入れ替わりが激しいために、長期的なつながりはまったく築けない。

*8　ヤマー／Yammer

2008年にサンフランシスコで創業された企業向けSNSサービス。ファウンダーズ・ファンドなどから出資を受けた後、12年にMicrosoftが12億ドルで買収した。

どんな企業文化も、下の直線上のどこかに位置する。最高のスタートアップは、究極よりも少しマイルドなカルトと言っていい。いちばんの違いは、カルトは重要な点を間違って盲信しがちだということだ。成功するスタートアップは、外の人が見逃していることを正しく信奉している。君がそうした隠れた真実をコンサルタントから教わることはないし、君の会社が従来のプロフェッショナルに理解されなくても心配する必要はない。カルトと呼ばれる方が、まだましだ。なんならマフィアでもかまわない。

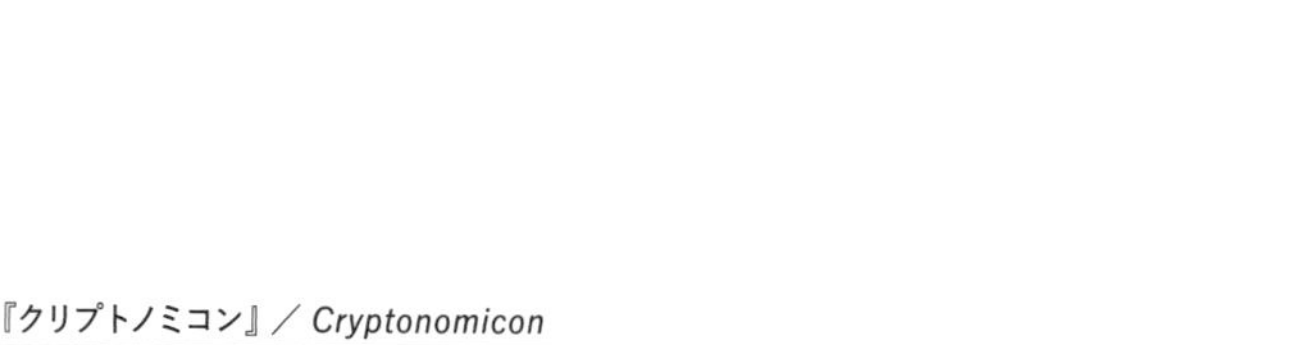

9　『クリプトノミコン』／*Cryptonomicon

ポスト・サイバーパンクの作家スティーヴンスンの長編ミステリ冒険小説。第二次世界大戦と現代を舞台にし、後者では電子マネーとデジタル通貨を使ったネットバンキングが登場する。1999年発表、邦訳はハヤカワ文庫。

11 それを作れば、みんなやってくる？

営業は誰もが行なっていることなのに、ほとんどの人はその大切さが充分にわかっていない。シリコンバレーはその最たる場所だ。ギークのバイブル、『銀河ヒッチハイク・ガイド』[*1]シリーズでは、この地球は営業マンへの嫌悪感から生まれたことになっている。人類がもともと住んでいた星の破滅が目前に迫り、脱出を迫られた人々は、三つの巨大宇宙船に分かれて避難する。思想家、リーダー、成功者は宇宙船Aへ。営業マンとコンサルタントは宇宙船Bへ。そして労働者と職人は宇宙船Cへ。宇宙船Bが最初に出発し、乗員たちはぬか喜びする。だがそれは策

*1　『銀河ヒッチハイク・ガイド』／*The Hitchhiker's Guide to the Galaxy*
イギリスの脚本家ダグラス・アダムスによるスラップスティックSFシリーズ。1978年にBBCのラジオドラマとなり、全6作からなる。小説は世界的ベストセラー。

略だった。AとCの乗員たちは、昔からBの乗員を役立たずだと思っていて始末したがっていただけだったのだ。そしてBは地球に着陸する。

作り話の中では販売なんてどうでもいいことかもしれないけれど、現実世界では重要だ。商品のセールスに必要なことを十把一絡げに販売と呼んでいるけれど、その重要性を僕たちは軽んじている。それは、僕らが宇宙船AとCの乗員と同じ偏見を抱いているからだ。営業マンやそのほかの「仲介者」は邪魔な存在で、いい製品《プロダクト》を作れば魔法のように販路が開かれると勘違いしている。特にシリコンバレーでは『フィールド・オブ・ドリームス』[*2]的な発想(「それを作ればみんなやってくる」)が一般的で、エンジニアは売ることよりもクールなものを作ることしか考えていない。でも、ただ作るだけでは買い手はやってこない。売ろうとしなければ売れないし、それは見かけより難しい。

おたく対営業

アメリカの広告業界は年間一五〇〇億ドルの売り上げを誇り、六〇万人以上を雇用している。セールス業界は年間四五〇〇億ドルとさらに大きい。三二〇万人が営業職についていると聞く

*2　『フィールド・オブ・ドリームス』／*Field of Dreams*

1989年公開のアメリカ映画。アイオワの田舎町に住む貧乏なトウモロコシ農家の主人公がある日「If you build it, he will come.(それを作れば、彼が来る)」という謎の声に突き動かされ、畑に野球場を作り上げる。

と、ベテラン経営者はもっと多いはずだと考え、エンジニアは困惑のため息をつく――それほど大勢の営業がいったい何をしてるんだ？

シリコンバレーのおたくたちは、広告やマーケティングやセールスに懐疑的だ。というのも、それが薄っぺらで不合理に見えるからだ。でも、広告には効果があるし、大切でもある。おたくだって君だって、広告に影響を受けている。自分だけは例外だと君は思っているかもしれない――自分には本物を見る目があって、広告に動かされるのは自分以外の人間だと。でも、あからさまな売り込みに抵抗するのは誰だって簡単だし、それで自分には独自の判断ができると思い込んでしまうにすぎない。広告はすぐにモノを買わせるためにあるわけじゃない。のちの売り上げにつながるような巧妙な印象を刷り込むためにある。だから、自分が影響されていることに気づかない人は、二重に騙されているわけだ。

おたくたちは、中身で評価されることに慣れている。彼らはコンピュータ・プログラミングのような技術の専門家になることで、付加価値を生み出している。エンジニアリングの領域では、ソリューションは成功するか、失敗するかのどちらかしかない。仕事の評価も同じように簡単で、見栄えは大して重要じゃない。セールスはその反対で、本質を変えずに見栄えを変えるための組織的なキャンペーンだ。エンジニアにとってそれはくだらないことだし、基本的に不正直だとさえ思っている。エンジニアは自分の仕事を大変だと感じているので、営業マンが顧客と電話で笑い合ったり、二時間もランチに出かけたりするのを見ると、仕事をさぼっているんじゃないかと疑う。科学やエンジニアリングは見るからに難しそうなので、人はそれを実際以上に過大評価してしまう。だけど、セールスを簡単に見せるのがどれほど大変かを、おたくたちは理解していない。

一流の営業はそれとわからない

営業マンはみな役者だ。彼らの仕事は売り込みであって、誠実であることではない。「セールスマン」という呼び名が中傷にもなるのはそのせいで、中古車ディーラーはいかがわしい人物の典型とされている。でも、僕たちがネガティブな反応を示すのは、ぎこちないあからさまな売り込み、つまり優秀じゃないセールスに対してだ。一口に営業と言っても能力はピンからキリまでだ。新人とエキスパートと達人の間にもさまざまな段階がある。セールスの超達人もいる。超のつく達人を知らないとすれば、それはまだ出会っていないからではなく、目の前にいながら気づいていないからだ。トム・ソーヤは近所の友だちにフェンスのペンキを自分の代わりに塗ってもらった。それが、達人の技だ。さらに、用事をしてもらった上にそのことに対してお金を払わせたのは、超達人の技だった。友だちをまんまと口車に乗せたわけだ。一八七六年にマーク・トウェインが小説を書いた時代から、何も変わってはいない。

演技と同じで、売り込みだとわからないのが一流のセールスだ。営業にしろマーケティングにしろ宣伝広告にしろ、販売にかかわるほとんどの人の肩書が、「営業」と無縁なのはそういう理由だ。広告を売る人は「アカウント・エグゼクティブ」と呼ばれる。新規顧客の開拓は「事業開発」と呼ばれる。企業買収や売却を商売にする人は「インベストメントバンカー」。自分を売り込むのは「政治家」だ。こうした肩書には理由がある。誰も売り込まれたくないからだ。

どんな仕事でも、営業能力がスーパースターと落ちこぼれをはっきりと分ける。ウォール街では新卒は数字をはじく「アナリスト」からスタートするけれど、最終目標はディールメーカー[*3]になることだ。弁護士は法律の専門家であることに誇りを持っているけれど、法律事務所のリーダーは大手クライアントを獲得できる儲け頭《レインメーカー》だ。学問的業績によって評価される大学教授でさえ、専門分野で名を上げる宣伝上手な学者に妬みを抱く。歴史や英語についての学術アイデアは、いくら知的に優れていてもそれだけでは話題にならない。基礎物理学の研究や癌研究の未来でさえも、売り込みにかかっている。企業人でさえ営業を軽んじる最も根本的な理由は、世の中のすべての分野のあらゆるレベルが本当は営業に動かされていることを、社会が隠そうとしているからだ。

*3　ディールメーカー／deal maker

M＆A案件における仕掛人や主要プレーヤーのこと。

エンジニアの究極の目標は、「何もしなくても売れる」ようなすごいプロダクトを作ることだ。でも現実のプロダクトについてそうだという人がいたら、嘘になる。妄想か（自分に嘘をついているか）、売り込んでいるか（自己矛盾になる）のどちらかだろう。その対極にあるビジネスの格言が、「最高のプロダクトが勝つとは限らない」だ。経済学者はこれを「経路依存性」によるものだとする。製品の客観的な品質とは無関係の歴史的経緯によって、どの製品が広範に普及するかが決まるというものだ。それは事実だけれど、だからといって今僕たちが使っているオペレーティング・システムやキーボードの配列は、単なる偶然によって押しつけられたわけじゃない。むしろ、販売を製品デザインの一部と考えるべきだろう。何か新しいものを発明しても、それを効果的に販売する方法を創り出せなければ、いいビジネスにはならない。それがどんなにいいプロダクトだとしても。

どう売るか

差別化されていないプロダクトでも、営業と販売が優れていれば独占を築くことはできる。逆のケースはない。製品がどれほど優れていても、たとえそれが従来の習慣に合うもので、利用者が一度で気に入るような製品だとしても、強力な販売戦略の支えが必要になる。

二つの指標が有効な販売チャネルの条件となる。つまり、ひとりの顧客から生涯に得る純利益の平均総額（顧客生涯価値、またはＣＬＶ[*4]）が、ひとり当たりの新規顧客獲得費用の平均（顧客獲得コスト、またはＣＡＣ[*5]）を上回らなければならない。一般的に、商品価格が高いほど、営業コストは上がり、またコストをかけることが理にかなっている。最適な販売手段は下の直線上のどこかにある。

コンプレックス・セールス

平均販売単価が七桁を超える場合、すべての案件について隅々まで念入りに一対一の注意を払わなければならない。顧客と良い関係を築く

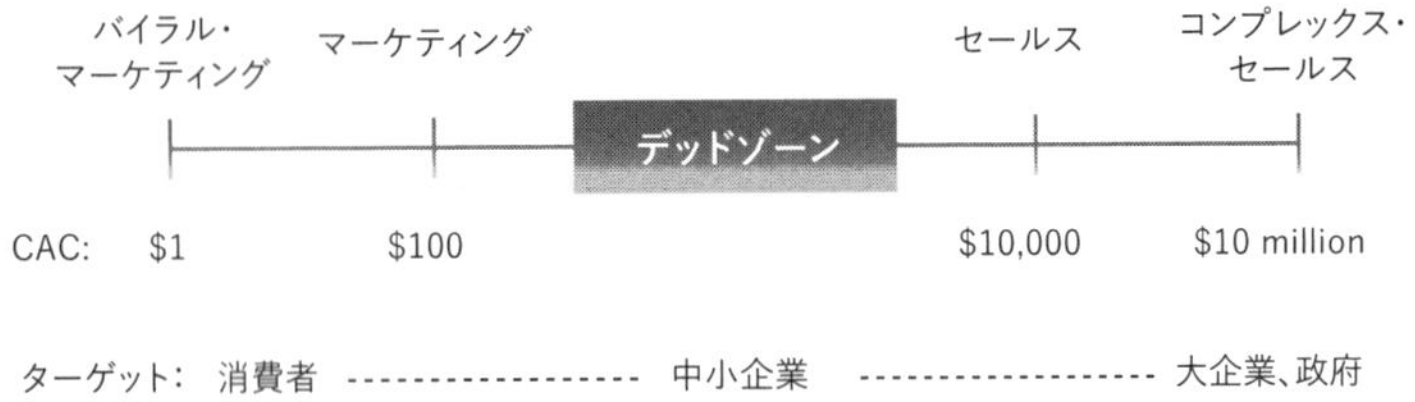

*4 CLV／customer lifetime value

*5 CAC／customer acquisition cost

のに何か月もかかることもある。売り込みに成功するのは一年か二年に一度だろう。販売が終わってても設置やサービスなど、長期間にわたってアフターケアを行なわなければならない。骨の折れる仕事だけれど、高額商品を売るには、こうした「コンプレックス・セールス」[*6]を行なうしかない。

スペースXは、それが可能なことを証明している。立ち上げから数年の間に、イーロン・マスクはNASAと数十億ドル単位の契約を結び、古くなったスペースシャトルをスペースXがデザインした宇宙船に置き換えた。こうした巨額案件では技術的なイノベーションもさることながら政治力が要求され、売り込みは簡単ではない。スペースXは三〇〇〇人をほぼカリフォルニアの一州で雇用している。既存の航空宇宙産業は、五〇州すべてで五〇万人以上を雇用している。議員たちは地元に交付される補助金を失いたくはない。でも、スペースXは毎年数件だけ売り込みを成功させればいいので、イーロン・マスクのような売り込みの超達人は、いちばんのキーパーソンたちに働きかけることに集中し、硬直した政治の壁を破ることができる。

コンプレックス・セールスは、「営業マン」がいない方がうまくいく。僕がロースクールの同級生、アレックス・カープと立ち上げたデータ分析会社のパランティアでは、営業だけを仕事にする社員はいない。その代わり、CEOのアレックスが月のうち二五日は外に出てクライアントに会ったり、新規顧客を開拓している。案件の規模は一〇〇万ドルから一億ドルにのぼる。こ

*6　コンプレックス・セールス／complex sales
主にBtoBで多数の合意を取る必要があるような高額商品営業。

れほどの高額案件になると、買い手は営業部門の副社長ではなくＣＥＯと話したがるものだ。

コンプレックス・セールスモデルを持つ企業は、五〇パーセントから一〇〇パーセントの年率成長を一〇年間続ければ成功する。バイラルな成長を夢見る起業家は、それでも遅いと感じるだろう。明らかに優れたプロダクトだと顧客が認めれば、売り上げはすぐに一〇倍になると思うかもしれない。でも、そんなことはほとんどあり得ない。優良企業の営業戦略は、小さく始まるものだし、またそうでなければならない。新規顧客が既存顧客より大きな契約を結ぶことはあっても、従来の案件規模からかけ離れた金額の契約を結ぶことはほとんどない。そのプロダクトを使って成功した顧客の数がある程度増えたところで初めて、さらに大きな案件に向けた長期的で体系的な売り込み戦略を始めることが可能になる。

個人セールス

ほとんどのビジネスは、コンプレックス・セールスに適さない。一件当たりの平均販売額が一万ドルから一〇万ドル程度なら、ＣＥＯがすべてを自分で売り込む必要はない。こうしたセールスの課題は、特定案件をどう売り込むかではなく、適正規模の営業チームを使って幅広い顧客層に商品を売り込むプロセスをどう確立するかだ。

二〇〇八年、ボックスは、安全に、しかもアクセスしやすい形でクラウド上にデータを保存する企業向けサービスを開始した。でも、当時はまだ誰もその必要性を自覚していなかった――クラウドコンピューティングはまだメジャーではなかったのだ。状況を変えるため、その夏に本書共著者のブレイクがボックスの三人目の営業マンとして採用された。ボックスの営業マンたちはまず、ファイル共有の問題に誰よりも頭を悩ませていた少数のユーザーを口説き、その後クライアント企業の中でユーザーを増やしていった。二〇〇九年、ブレイクはスタンフォード睡眠クリニックに少額のボックスアカウントを売り込んだ。クリニックの研究者が、実験データのログを保存するための簡単で安全な方法を探していたからだ。今ではスタンフォード大学が、大学ブランドのボックスアカウントを全学生と教員に配布し、スタンフォード病院もボックスに頼っている。もしはじめから学長に全学的なソリューションを売り込んでいたら、失敗していたはずだ。もしコンプレックス・セールス戦略で臨んでいたら、ボックスは失敗スタートアップとして今頃忘れられていただろう。個人セールスがこの会社を数十億ドル企業にしたわけだ。

プロダクト自身がある種の販売を兼ねるケースもある。ファウンダーズ・ファンドが投資するゾックドック[*7]はオンラインでの病院探しと予約を助ける会社だ。このネットワークに加入する医師から、毎月数百ドルを受け取っている。一件当たりの平均売上額は数千ドルで、セールスには多くの営業マンが必要になる――社内には営業マンの採用を専門に行なうチームがあるほ

*7　ゾックドック／ZocDoc
2007年にニューヨークで創業されたオンラインの病院検索＆予約サイト。ファウンダーズ・ファンドのほかにジェフ・ベゾスらも出資している。

どだ。医師に加入してもらうことは、一度の売り上げにつながるだけではない。多くの医師がネットワークに加入することで、患者にとってこのプロダクト自体の価値が上がる（そして患者数が増えれば、医師にとっての魅力も増す）。すでに五〇〇〇万を超えるユーザーが毎月このサービスを利用している。医師の過半数が加入するまでにネットワークの規模を拡大できれば、これがアメリカの医療産業にとっての基本的なインフラとなるだろう。

販売の落とし穴

個人セールス（当然、営業マンが必要になる）と従来の広告宣伝（営業マンは必要ない）の間には、デッドゾーンがある。たとえば、コンビニのオーナー向けに在庫と発注管理のソフトウェアを作ったとしよう。ソフトウェアの利用料が一〇〇〇ドルだとすると、見込み客の中小企業にそれを売り込む有効な販売チャネルはないようだ。その商品に明らかに価格以上の価値があるとしても、それをどう伝えればいいだろう？　広告宣伝は範囲が広すぎる（コンビニのオーナーだけが見るテレビのチャンネルなどない）か、効率が悪すぎる（たとえば、コンビニ専門誌の広告を見て年一〇〇〇ドルもする商品を買う人はいないはずだ）。対人セールスが必要だとしても、単価を考えると見込み客のすべてに営業マンを訪問させる余裕はない。大企業にとっては当たり前のツールを中小企業が使わないのは、そうした理由からだ。中小企業オーナーが遅れているわけでも、ツールが存在しないわけでもない。販売は隠れたボトルネックなのだ。

マーケティングと広告宣伝

マーケティングと広告宣伝は、バイラルな訴求方法のないような一般大衆向けの低価格品に効果がある。P&Gが洗剤を個別訪問販売するのは割に合わない（ただ、大手スーパーや量販店に対応する営業マンはいる。こうした買い手は一度に一〇万本単位で購入を決めるからだ）。消費者製品のメーカーがエンドユーザーに製品を売り込むには、テレビCMを打ち、新聞にクーポンを載せ、目立つパッケージをデザインしなければならない。

スタートアップにも広告宣伝が効くことはある。ただそれは、顧客獲得コストと顧客生涯価値を比べてほかのすべての販売チャネルが割に合わない場合に限る。ワービー・パーカー[*8]は、自社デザインのおしゃれなメガネをオンラインで販売するeコマースのスタートアップだ。価格は一〇〇ドル程度からで、ひとりの顧客が生涯に数個のメガネを買うとすると、CLVは数百ドルになる。すべての取引に営業マンを張り付かせるには単価が低いけれど、かといって数百ドルもする品物はバイラルに広がらない。広告を打ち、ひねりのあるテレビCMを流せば、数百万人のメガネ利用者に良質で割安な商品を紹介できる。彼らは単に、「テレビは巨大拡声器だ」と考えている。新規顧客獲得の予算がひとり当たり数十ドルしかない場合、できるだけ大

*8　ワービー・パーカー／Warby Parker
2010年にペンシルベニア大学ウォートン・スクールの学生４人が創業したアイウェアのｅコマースサイト。

きな拡声器が必要となる。

起業家は誰しも目立つ広告キャンペーンを羨むけれど、スタートアップは、いちばん記憶に残るテレビスポットや練り上げられたPR戦略を打ち出して大企業と延々競い合いたいという誘惑に抵抗しなければならない。僕は経験からそれを学んだ。ペイパルは『スター・トレック』でスコッティ[*9]を演じたジェームズ・ドゥーアンを雇い、企業スポークスマンになってもらった。パームパイロット向けの第一弾ソフトウェアの発売イベントで、ジェームズにあの有名なセリフを披露させたのだ。「私は生涯をかけて人間を転送してきたが、今初めてカネを転送できるようになった!」これが裏目に出た――イベントの招待客には通じなかったのだ。僕たちはみんなおたくだったので、機関主任のスコッティの方が、カーク船長よりもエライとばかり思っていた(カーク船長はそれこそ営業マンのように、いつもどこかの珍しい惑星でドンパチやっていて、機関士に自分の失敗の尻拭いをさせていた)。僕たちは間違っていた。プライスライン・ドットコム[*10]がウィリアム・シャトナー(カーク船長を演じた俳優)を起用して大々的に打ち出したシリーズ広告は当たった。ただ、その頃すでにプライスラインはメジャーになっていた。大企業以上の広告費を出せる初期のスタートアップはない。カーク船長はまさしく唯一無二の存在なのだ。

*9 スコッティ／Montgomery "Scotty" Scott

宇宙パトロール船USSエンタープライズ号機関主任(日本語吹替版では「チャーリー」)。同船長のカークがほかの場所から船に転送帰還する際にスコッティに命じたフレーズ「Beam me up, Scotty(転送してくれ、スコッティ)」はよく知られている。

プロダクト自体に友人を呼びこみたくなるような機能がある場合、それはバイラルする。フェイスブックとペイパルがあっという間に広がったはそのおかげだ——友だちと何かをシェアしたり支払いをしたりするたびに、より多くの人が自然にそのネットワークに招き入れられる。安いだけでなく、早いやり方だ。新規ユーザーがふたり以上のユーザーを呼び込めば、指数関数的な成長の連鎖反応が起きる。その伝達が速くスムーズに行なわれるのが理想的なバイラルの循環だ。つい笑ってしまうユーチューブの動画やインターネット・ミーム[*11]は、すぐに数百万の視聴者を獲得する。サイクルタイムが極端に短いからだ。たとえば、猫を見て癒されたら、その画像を友だちに転送するには数秒とかからない。

ペイパルの最初のユーザー数は二四人で、全員がペイパルで働いていた。バナー広告による顧客獲得はコストがかかりすぎるとわかった。そこで、僕たちは加入者に直接キャッシュバックを行ない、さらに友だち紹介に現金を支払うことで、桁外れの成長を遂げた。この戦略の顧客当たりの獲得コストは二〇ドルだったけれど、顧客数は毎日七パーセントずつ増加し、一〇日おきに顧客数は倍増した。四、五か月後には数万人のユーザーを獲得し、少額の送金手数料を課金することで偉大な企業へと発展するための足場を確保した。手数料収入は最終的に顧客獲得コストを大きく上回った。

バイラル成長の可能性があるような市場の中の、いちばん重要なセグメントを最初に支配し

*10　プライスライン・ドットコム／Priceline.com

1997年にジェイ・ウォーカーがコネチカット州で創業したオンライン旅行代理店。利用者が金額を決める逆オークションシステムで知られる。

た会社が、市場全体のラストムーバーとなる。ペイパルはランダムに顧客数を増やすつもりはなかった――最も価値の高いユーザーを最初に獲得しようとした。メールベースの送金市場でいちばん明らかなセグメントは、いまだに普通の銀行から故郷の家族に送金している数百万にのぼる移民たちだった。僕たちのプロダクトなら送金の手間が大幅に省ける。ただ、頻度が少なすぎた。それよりもよりニッチで送金頻度の高いセグメントを探す必要があった。それが、イーベイの「パワーセラー」、つまりネットオークションでの商品売買を生業にしている人たちだった。当時、イーベイには二万人のパワーセラーがいた。大半は毎日複数のオークションを行ない、販売と同時に仕入れも行なっていた。ということは、コンスタントに送金が必要だ。しかもイーベイの決済システムは使い物にならなかったので、こうしたプロの販売人は僕たちのサービスを熱烈に歓迎し利用してくれた。このセグメントを独占したペイパルは、イーベイ全体の決済プラットフォームとなり、イーベイ内でもその外でも、後に追随できる会社はなかった。

販売の〈べき乗則〉

ビジネスの種類によって、効果的な販売手段は異なる。販売もまた独自のべき乗則に従っている。ほとんどの起業家には、それがピンとこない。コストをかければ効果が上がると考える

*11　インターネット・ミーム／Internet meme

ネットを通じて人から人へと拡がっていく行動、コンセプト、メディアのこと。

のだ。だけど、何人かの営業マンを雇い、いくつかの雑誌に広告を打ち、後付けでバイラルな機能をプロダクトに付け加えるといった場当たり的なやり方には効果はない。有効な販売チャネルをひとつも見つけられずに終わるビジネスも少なくない。いちばんよくある失敗の原因は、ダメなプロダクトではなく下手な営業だ。有効な販売チャネルがひとつでも手に入れば、ビジネスは成功する。もし君がいくつか試してみてどれもものにできなければ、そこで終わりだ。

顧客以外への売り込み

企業が売り込むのはプロダクトだけじゃない。経営者は企業そのものを社員や投資家に売り込まなければならない。素晴らしい製品なら自然に売れるという嘘には、「人材」版もある。「いい会社なら、みんなが熱烈に参加したがる」というやつだ。その「資金調達」版もある。「偉大な会社なら、投資家が先を争って投資する」というものだ。こうした熱狂的なお祭り騒ぎは確かに現実にあるけれど、そこに計算された採用計画や売り込みがない限り、めったに起きるものじゃない。

マスコミへのアピールは、会社そのものの売り込みに欠かせない。はなからマスコミを信用しないおたくたちはマスコミを無視しがちだけれど、それは間違いだ。優れたプロダクトなら販売戦略がなくても売れると期待してはいけないように、いい会社ならPR戦略がなくても賞賛されると思い込んではいけない。君がバイラルな販売戦略をとっていて、ユーザーの獲得にマスコミへの露出は必要ないとしても、マスコミは投資家や社員を惹きつける助けになる。君が雇いたくなるような優秀な人物なら、事前に君の会社を調べるはずだ――そのグーグル検索の結果が、君の会社の成功に決定的な影響を与えるだろう。

誰もが売り込んでいる

おたくたちは、販売のことなんて考えたくもないし、営業マンをほかの惑星に追放できればいいのにと願っていることだろう。僕たちはみんな、自分は何ものにも影響されずに判断し、営業に惑わされることはないと思いたがる。でも、それは間違いだ。誰もが売り込みに影響される。社員であれ、創業者であれ、投資家であれ。君とコンピュータしかないような会社だとしても、例外じゃない。周りを見回してみるといい。営業マンがいないとしたら、君自身がその営業マンなのだ。

12 人間と機械

成熟産業が低迷するにつれ、ＩＴはものすごいスピードで進化してきたため、「テクノロジー」と言えばＩＴそのものだと思われるようになった。今では一五億人が、ポケットに入るデバイスで世界中の知識を即座に手に入れることができる。今日のスマートフォンは人類を月に送ったコンピュータの数千倍の処理能力を備えている。ムーアの法則がこれからも続くとしたら、今後のコンピュータはさらに高い能力を持つことになる。

これまでは人間にしかできないと考えられていた分野でも、コンピュータはすでに人間を超える能力を持つようになった。一九九七年、ＩＢＭのディープ・ブルーはチェスの世界王者だったガルリ・カスパロフを打ち負かした。クイズ番組『ジェパディ！』の史上最強の解答者だったケン・ジェニングスは、二〇一一年にＩＢＭのワトソンに敗北した。グーグルの自動運転車は、今すでにカリフォルニアの道路を走っている。ＮＡＳＣＡＲレーサーのデイル・アーンハート・ジュニアにとっては脅威ではないけれど、ガーディアン紙は（世界中の何百万という運転手やタクシー業者のために）自動運転車は「次の失業の波を起こすかもしれない」と懸念している。

コンピュータがこの先より多くの仕事をするようになると誰もが思っている。それは人々の想像をはるかに超えるものになるかもしれない。三〇年後、まだ人間のすることが残っているだろうか？「ソフトウェアが世界を食い尽くす」[*1]——ベンチャーキャピタリストのマーク・アンドリーセン[*2]はそうはっきりと言い切っている。同じくベンチャーキャピタリストのアンディ・ケスラー[*3]は、生産性を上げるには「人間を排除する」のがいちばんだと嬉しそうに語っている。フォーブス誌はどちらかというと不安な調子で、読者にこう訊ねた。「機械はあなたに取って代わるだろうか？」

フューチャリストは「イエス」という答えを望んでいるようにも見える。テクノロジー嫌いは機械に置き換えられることを恐れるあまり、いっそ新しいテクノロジーの開発をすべて止めた方がいいと思っている。どちらの側も、より能力の高いコンピュータが人間の労働力に置き

*1　ソフトウェアが世界を食い尽くす

マーク・アンドリーセンが2011年8月にウォール・ストリート・ジャーナル紙に寄稿した「Why Software Is Eating The World（ソフトウェアが世界を飲み込む理由）」より。

換わるという前提を疑っていない。だけどその前提は間違っている――コンピュータは人間を補完するものであって、人間に替わるものじゃない。これから数十年の間に最も価値ある企業を創るのは、人間をお払い箱にするのではなく、人間に力を与えようとする起業家だろう。

置換か補完か

一五年前、アメリカの労働者は安いメキシコの労働力との競争を心配していた。その心配はもっともだった。人間同士は置き換えられるからだ。今もまた、ロス・ペローが言った「巨大な吸引音」を心配する声が上がっているけれど、その音は人件費の安いティファナの工場からではなく、テキサスのどこかにあるサーバー農場から聞こえてくるようだ。アメリカ人は、かつてグローバリゼーションを恐れたように、テクノロジーを恐れている。でも、状況はまったく違う。人間は仕事を争い、資源を争う。コンピュータはどちらも争わない。

グローバリゼーションはあるものを別のものに置き換える

ロス・ペローが外国との競争を警告した当時、ジョージ・H・W・ブッシュもビル・クリントン

*2　マーク・アンドリーセン／Marc Lowell Andreessen

1971年アイオワ州生まれのソフトウェア開発者、投資家。ウェブブラウザのモザイクを開発し、Netscapeで95年にIPOを果たす。2009年にはベンチャーキャピタルのアンドリーセン・ホロウィッツを設立。

も自由貿易の福音を説いていた――すべての人に相対的な強みがあり、全員がその得意分野に特化してお互いと取引を行なえば、理論上は経済全体の富が最大化する。現実に自由貿易がどれほどの恩恵をもたらしているかは、少なくとも労働者にとっては微妙なところだ。競争優位性に大きな差がある場合には取引から得る利得が大きいけれど、ほんのわずかの賃金で反復作業をいとわない労働者は世界中にごまんといる。

競争が激しいのは、労働力の供給だけではない。世界中のすべての人が同じ資源を求めている。アメリカの消費者は中国からの安いおもちゃや繊維の恩恵を受けている一方で、中国の数百万人の新たな自動車オーナーのせいで、アメリカ人は高いガソリン価格を支払わされている。上海でフカヒレを食べようが、サンディエゴでタコスを食べようが、すべての人に食べ物と住む家は必要だ。しかも、人間の欲望は必要最低限のものでは止まらない。グローバリゼーションが進むにつれ、需要は限りなく伸びていく。中国の数千万の農民たちは、やっと最低限のカロリーを確保できるようになると、穀物だけでは満足できずに肉も食べたがるようになる。国家指導者たちの欲望は、さらにはっきりと同じものに収斂している。サンクトペテルブルクから平壌まで、独裁者はみな黄金に輝くルイ・ロデレール[*4]のクリスタルがお気に入りだ。

テクノロジーは人を補う

*3　アンディ・ケスラー／Andy Kessler

1958年生まれ。リサーチアナリスト、インベストメントバンカー、ベンチャーキャピタリスト、ヘッジファンド・マネージャーとして活躍し、パロアルトを拠点にした投資会社ヴェロシティ・キャピタル・マネジメントを共同創設したほか、ウォール・ストリート・ジャーナルをはじめとした各紙誌で執筆を行なう。

では、競争について労働者ではなくコンピュータの側から考えてみよう。労働力の供給という点で、コンピュータは人間とはまったく違い、その違いは人間同士の違いよりもはるかに大きい。人間と機械は、それぞれ根本的に異なる強みを持っている。人には意思がある――僕たちは計画を立て、複雑な状況で判断を下す。一方で、大量のデータを読み解くのはどちらかというと苦手だ。コンピュータはちょうどその反対で、効率的にデータを処理できる反面、人間にとってはしごく簡単な判断でさえ下せない。

この違いがどれほど大きいかを示す例が、グーグルが行なっているコンピュータ人間代替プロジェクトだ。二〇一二年、グーグルのスーパーコンピュータが新聞を賑わせた。ユーチューブで一〇〇〇万のサムネイル画像をスキャンし

	供給（労働）	需要（資源）
グローバリゼーション（他の人間）	置換「フラット化する世界」	横並びの消費者による競争
テクノロジー（優秀なコンピュータ）	ほぼ補完	機械は求めない：すべての価値は人間へ

*4　ルイ・ロデレール／Louis Roederer

1776年創業の老舗シャンパーニュメゾン。クリスタルは最高級シャンパンとして有名。

た結果、七五パーセントの確率で猫を認識できるようになったというのだ。確かにすごいとは思うけれど、よく考えるとそれなら四歳児にだってできる。特定の作業では、安いラップトップが世界一賢い数学者を負かすことができても、一万六〇〇〇個のＣＰＵを搭載したスーパーコンピュータでさえ子どもにかなわないこともある。人間とコンピュータはどちらが強いというものではない——まったく別ものなのだ。

人間と機械がまったく違うということは、コンピュータと手を組めば、人間と取引するよりもはるかに多くの利得があるということだ。人間は家畜や照明とは取引しないように、コンピュータとも取引する必要はない。それこそが大切なポイントだ——コンピュータはツールであって、ライバルではない。

需要の面でその違いはより明らかだ。先進国の人間と違って、コンピュータはグルメな食事や高級リゾートの豪華な別荘を求めたりしない。わずかな電力は必要だけれど、それさえ自分から欲しがったりはできない。新しいコンピュータ・テクノロジーをデザインして取引相手にすれば、資源をお互いに争う必要もなく、その高度な専門性を問題解決に役立てることができる。テクノロジーをうまく利用することは、グローバル化する世界で競争を避けるひとつの手段となる。コンピュータの能力がますます上がっても、コンピュータは人間の代用にはならない——人間を補完するのだ。

補完的ビジネス

人間とコンピュータの補完的な関係は、単なるマクロレベルの事象じゃない。それは、卓越したビジネスを築く具体的な手段にもなる。ペイパルでの経験から、僕はこのことを身にしみて感じるようになった。二〇〇〇年の半ば、ドットコム・バブルの崩壊を生き延びた僕たちは急速に成長していたものの、ある大きな問題に悩まされていた。クレジットカード詐欺によって毎月一〇〇〇万ドルを超える被害を受けていたのだ。僕たちは毎分数百、数千という取引を処理していたので、すべての取引を精査することは不可能だった。人間はそこまでの速度で取引を管理できない。

そこで、エンジニアなら誰もがやるはずの手を打った——自動化を試みたのだ。まず、マックス・レヴチンが優秀な数学者を集めてチームを作り、詐欺取引の手口を徹底的に調べあげた。その調査をもとに、リアルタイムで自動的に詐欺取引を特定しキャンセルするソフトウェアを開発した。だけど、このやり方でもうまくいかないことがすぐに明らかになる。数時間もすると、詐欺師たちは追いついて、手口を変えてきた。敵は変わり身が早く、僕たちのソフトウェアはそれに適応できなかった。

変わり身の早い詐欺師の手口に僕たちの自動検出アルゴリズムは騙されてしまう一方で、人間の目はそう簡単にごまかせないことがわかった。そこでマックスとエンジニアたちは、ハイブリッドな取り組みができるようソフトウェアを書き換えた――コンピュータが疑わしい取引を特定して見やすいインターフェースにフラグを立て、オペレータがそれに最終判断を下す。自分は難攻不落だと豪語していたロシア人詐欺師にちなんで「イゴー」と名づけたこのハイブリッドシステムのおかげで、僕たちは二〇〇二年の第1四半期には初めての黒字を計上した（前年同期は二九三〇万ドルの赤字だった）。FBIは、金融犯罪の捜査にイゴーを使わせてもらえないかと依頼してきた。マックスは鼻高々で、自分は「インターネット闇社会のシャーロック・ホームズだ」と自慢していたけれど、それはあながち間違いでもなかった。

こうして人と機械の共生によってペイパルは生き残ることができ、そのおかげで数万社の中小企業が命綱となるオンライン決済を受けられるようになった。この経緯はほとんどの人の目に触れず、耳にも入らないことだったけれど、人間と機械が共に問題解決にあたらなければ、こうしたことは起こりえなかった。

二〇〇二年にペイパルを売却した後も、僕はこのことを考え続けた。人間とコンピュータが協力することで、個々には成し得ないような劇的な成果を上げられるとすれば、この原則をもとにして、ほかにどんな価値あるビジネスが立ち上げられるだろう？　その翌年、僕はスタンフォードで同級生だったアレックス・カープとソフトウェア・エンジニアのスティーブ・コーエンに新しいスタートアップのアイデアを売り込んだ。ペイパルのセキュリティシステムと同じ、人間とコンピュータのハイブリッド手法を使って、テロリストのネットワークと金融詐欺を探し出すビジネスだ。ＦＢＩはすでに興味を示していた。二〇〇四年、僕たちはバラバラの情報ソースから特定のテーマを抽出するソフトウェア会社、パランティアを立ち上げた。二〇一四年の売り上げは予定通り一〇億ドルに達する見通しで、フォーブス誌はパランティアのソフトウェアを、オサマ・ビン・ラディン発見を助けた「キラーアプリ」と呼んだ。

あの作戦について細かいことは明かせないけれど、人間による情報収集だけでも、コンピュータだけでも、市民の安全は確保できないということは言える。アメリカの二大諜報機関のやり方はそれと反対だ。ＣＩＡはスパイで成り立っている。国家安全保障局（ＮＳＡ）はコンピュータに頼っている。ＣＩＡの分析官は大量のノイズから情報を拾い出さなければならず、本当に深刻な脅威をなかなか特定できない。ＮＳＡのコンピュータは膨大なデータ量を処理できるが、テロ行為を目論んでいるかどうかをはっきり特定することはできない。パランティアはこうした二項対立を超えることを目指している。政府が供給するデータ、たとえばイエメンの過激派連絡員の電話記録や、テロリスト分子の活動に関係する銀行口座などをソフトウェアが分析し、疑わしい活動にフラグを立てると、訓練を受けた分析官がそれを精査するのだ。

テロリストの特定だけでなく、パランティアのソフトウェアを使うアナリストは、反乱軍がアフガニスタンでどこに地雷や路肩爆弾を仕掛けるかを予測し、大掛かりなインサイダートレーディング事件を起訴に持ち込み、世界最大の児童ポルノ組織を壊滅し、疾病管理センターを助けて食物媒介性の疾病の拡散を防ぎ、最先端の詐欺探知機能を通して年間何億ドルもの銀行や政府の損失を回避している。

それを可能にしたのは最先端のソフトウェアだけれど、それよりも重要なのは分析官、検事、科学者、金融のプロフェッショナルといった生身の人間で、彼らが積極的に関わらなければソフトウェアは役に立たない。

今どきのプロフェッショナルの仕事を考えてほしい。弁護士は多面的な問題への解決策を、相手に応じて違うように説明できなければならない――相手がクライアントか、敵の弁護士か、判事かで、説得方法は変わる。医師は、医療技術だけでなく医学に疎い患者ともきちんとコミュニケーションがとれなければならない。優秀な教師とは教科の専門家であるだけでは不充分だ――生徒各自の興味や学習態度によって、指導方法を変えることができなければならない。コンピュータはこうした作業の一部を担うことはできるかもしれないけれど、それらをうまく組み合わせることはできない。法律、医療、教育分野での先端テクノロジーは専門家に取って代わるものじゃない。それは人間の生産性を上げるものだ。

リンクトインは採用担当者にとってまさにそうしたサービスとなった。二〇〇三年の創業時に、リンクトインはリクルーターにとって何がいちばん大変かを調査したわけじゃないし、リクルーターに取って代わるようなソフトウェアの開発を狙ったわけでもなかった。採用は調査と売り込みの混じった仕事だ。応募者の経歴を精査し、動機と相性を評価し、いちばん有望な候補者を口説いて入社させなければならない。このすべてをコンピュータに置き換えるのは不可能だ。リンクトインは採用担当者の仕事の流れを変えることを狙った。今では採用担当者の九七パーセントがリンクトインの検索とスクリーニング機能を利用して、候補者を集めている。また、リンクトインのネットワークは個人のブランド管理にも利用され、数億人のプロフェッショナルに対しても価値を生み出している。もしリンクトインが、単に採用担当者をテクノロジーで置き換えようとしていたなら、今頃は存在していなかったはずだ。

コンピュータサイエンスのイデオロギー

この補完関係をこれほど多くの人が見逃しているのはなぜだろう？　それは学校から始まっている。ソフトウェアのエンジニアは、人手を省くためのプロジェクトに取り組むことが多い。そのための訓練を受けているからだ。そもそも学者は専門的な研究によって名を上げる。彼らの目標は論文を発表することで、それは各自の縄張りを守ることを意味する。コンピュータサイエンティストにとってその縄張りとは、人間の能力を分解し、コンピュータでも訓練すればできるような特定の作業に落としこむことだ。

今コンピュータサイエンスでいちばん注目を集めている分野を見てみよう。「機械学習」[*5]という言葉自体、人間の代替物を想像させるし、この分野の推進者は、充分な訓練用データを与えればコンピュータがほぼどんな作業でもこなせるようになると信じているようだ。ネットフリックス[*6]やアマゾンの利用者なら、機械学習の効果を実感しているはずだ。どちらの会社もアルゴリズムを使って利用者の閲覧と購入履歴をもとに商品を推奨している。データが多くなればなるほど、レコメンドも正確になる。グーグル翻訳も同じような原理を使って、粗くても使用に耐えうる翻訳を八〇か国語で提供している。ソフトウェアが言語を理解しているわけではなく、大量のテキストの蓄積による統計的分析からパターンを抽出しているのだ。

機械が人間を代替するようなイメージを生み出すもうひとつの流行語が、「ビッグデータ」だ。今どきの企業はデータの量が多ければ生み出す価値も大きいと勘違いして、狂ったようにデータをかき集めている。でも、ビッグデータはたいていガラクタだ。コンピュータは人間が見逃してしまうパターンでも発見できるけれど、異なるソースのパターンを比べることもできなければ、複雑な行動を解釈することもできない。行動につながるような分析ができるのは、人間

*5　機械学習／Machine learning
人工知能研究のひとつで、サンプルデータ集合を解析して有用な規則、ルール、知識表現、判断基準などを抽出し、アルゴリズムを発展させせることで、人間の学習能力と同様の機能をコンピュータで実現させるもの。

だけだ（または、ＳＦ小説の中だけに存在する、人間に似せた人工知能のようなものだ）。

僕たちがビッグデータに惹かれるのは、テクノロジーを特別視しているからだ。僕たちはコンピュータにちょっとしたことができたといっては感心するくせに、機械と人間の補完関係から生まれた偉業には目を向けない。人間の貢献が機械の神秘性を損なうからだ。ワトソン、ディープ・ブルー、機械学習による最先端のアルゴリズムはクールというわけだ。でも、最も価値ある未来の企業は、コンピュータだけでどんな問題を解決できるかとは問わないはずだ。**人間が難しい問題を解決するのをコンピュータがどう助けられるだろうか**と考えるだろう。

ますます賢くなるコンピュータは敵か味方か？

もちろん、コンピュータの未来はわからないことだらけだ。ますます賢くなるシリ[*7]やワトソンといった擬人化されたロボット知能は、これからくるものの前触れだと考えられるようになった。コンピュータが僕らの質問にすべて答えられるようになれば、彼らは自分たちがなぜ人間より下に置かれるのか疑問に思うはずだ。

この代替主義の考え方が行き着くところは、いわゆる「強いＡＩ」だ。それはすべての重要

*6　ネットフリックス／Netflix
1997年にカリフォルニア州で創業されたオンラインDVDレンタルおよび映像ストリーミング配信企業。

な面で人間をしのぐコンピュータだ。もちろん、機械嫌いはその可能性におびえている。フューチャリストでさえこれには多少不安になるようだ。強いＡＩが人類を救うか破滅させるかはわからない。テクノロジーは人間が自然をコントロールすることを助け、人生における運命のいたずらを減らすものとされている。もし人間より賢いコンピュータが開発されれば、運命のいたずらに復讐のチャンスを与えるかもしれない。強いＡＩは壮大な宝クジのようなものだ。勝てばユートピアに行ける。負ければスカイネット[*8]が人間に取って代わる。

　強いＡＩが予想のつかない謎ではなくて現実の可能性だとしても、すぐには実現しないだろう。コンピュータが人間に取って代わるかどうかは二二世紀の心配事だ。でも、遠い未来の心

強いAIの未来?

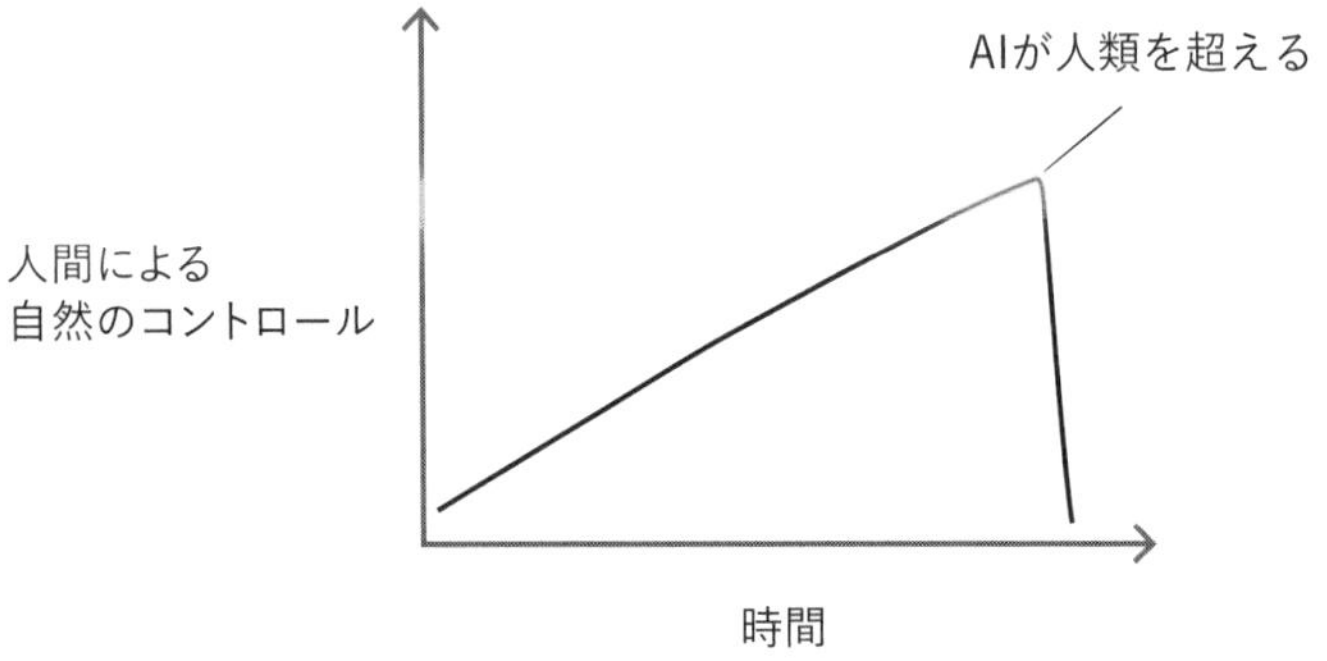

*7　シリ／Siri

Speech Interpretation and Recognition Interface（発話解析・認識インターフェース）。iOS向け秘書機能アプリケーションソフトウェア。2007年から開発を行なっていたSiri社を2010年にAppleが買収した。

配事がぼんやりしているからといって、僕たちが今はっきりとした計画を作るのを諦めていいわけはない。機械嫌いは、いつかコンピュータが人間に取って代わるなら、そもそも開発すべきでないと言う。熱狂的な未来派は開発すべきだと言う。両者の考え方にダブりはないけれど、漏れはある——冷静な人たちが今後数十年でより良い未来を創っていく可能性は、その両極端の間のどこかにある。これからのコンピュータは、これまで人間がやっていたことをさらにうまくやるだけじゃない。これまで想像もしなかったことを実現する助けになってくれるはずだ。

*8　スカイネット／Skynet

映画『ターミネーター』シリーズに登場する架空のコンピュータの総体。自我に目覚め、これを恐れた人間側が機能停止を試みると、人類の殲滅を試みる。

13 エネルギー2.0

二一世紀の頭には、次に来るのはクリーンテクノロジーだと誰もが思っていた。そうじゃなきゃいけなかった。北京では隣のビルが見えないほどスモッグが酷くなっていた——息をするだけで病気になりそうだった。バングラデシュでは井戸水がヒ素で汚染され、ニューヨークタイムズはこれを「歴史上最悪の毒物被害」と呼んだ。アメリカではハリケーン・アイバンとカトリーナが地球温暖化による破壊の前触れだと言われていた。アル・ゴアは「過去に我が国が戦争に臨んだ時と同じだけの危機感と決意で」問題解決にあたるべきだと訴えた。そして、とたんにすべてが動き始めた。何千というクリーンテクノロジー企業が生まれ、投資家は五〇〇億ドルを超える金額をここに注ぎ込んだ。世界を「クリーン」にする運動が始まったのだ。

この努力は失敗に終わる。僕たちが手にしたのは健全な地球ではなく、巨大なクリーンテクノロジー・バブルだった。中でもいちばん有名な「幽霊」環境企業となったのがソリンドラで、ほかのクリーンテクノロジー企業もほとんどが同じように悲惨な最期を遂げた。二〇一二年だけでも、四〇社を超える太陽光発電企業が経営に行き詰まるか破産を申請している。代替エネルギー企業の株式指数を見れば、バブル後の劇的な収縮がわかる。

クリーンテクノロジーはなぜ破綻したのだろう？　保守派は知ったかぶりをする――環境事

RENIXX（再生可能エネルギー産業インデックス）

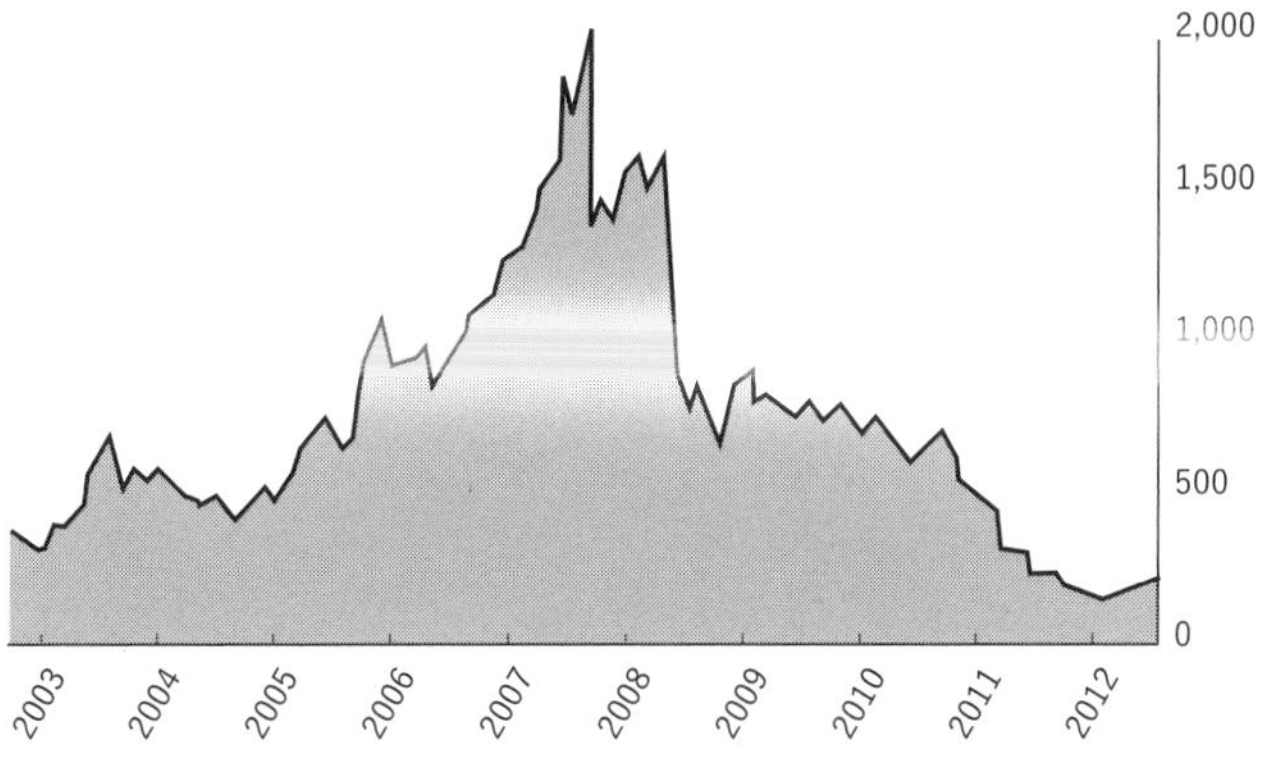

業は、政府の優先課題になったとたんに毒されたというわけだ。でも、環境を優先課題としたのには、合理的な理由があった（し、今もある）。クリーンテクノロジー業界で実際に起こっていたことは、政府の失敗よりもよっぽど複雑だし重要だ。クリーンテクノロジー企業が破綻したのは、どんなビジネスも答えを出すべき七つの質問をなおざりにしたからだった。

1 エンジニアリング

段階的な改善ではなく、ブレークスルーとなる技術を開発できるだろうか？

2 タイミング

このビジネスを始めるのに、今が適切なタイミングか？

3 独占

大きなシェアがとれるような小さな市場から始めているか？

4 人材

正しいチーム作りができているか？

5　販売

プロダクトを作るだけでなく、それを届ける方法があるか？

6　永続性

この先一〇年、二〇年と生き残れるポジショニングができているか？

7　隠れた真実

他社が気づいていない、独自のチャンスを見つけているか？

これらの要素についてはすでに議論してきた。どの業界かにかかわらず、この質問のすべてに答えるのが優れたビジネスプランだ。もしきちんとした答えがないのなら、君はたび重なる「不運」に見まわれて、会社は破綻するだろう。七つの質問すべてにしっかりと答えられれば、運に恵まれ成功するに違いない。五つか六つに答えるだけでも大丈夫だろう。でも、クリーンテクノロジー・バブルの最中は、いい答えがひとつもないままに人々は起業していた。それは、奇跡を願うようなものだった。

個々のクリーンテクノロジー企業が破綻した具体的な理由はわからない。というのも、ほとんどの会社がいくつもの深刻な過ちを犯していたからだ。その過ちのひとつだけでも会社を破綻させるには充分で、だから彼らがどう失敗したかを細かく見ていく価値はある。

エンジニアリング

偉大なテクノロジー企業は二番手ライバルより何十倍も優れたプロプライエタリ・テクノロジーを持たなくてはならない。だけど、クリーンテクノロジー企業は既存技術の一〇倍どころか、二倍の改善さえできなかった。場合によっては、既存製品より劣るものもあった。ソリンドラ[*1]は新型の円筒形太陽電池を開発したものの、円筒形電池は平形の数分の一の効率しかなかった――単純に集光量が少なかったのだ。パネルの底に鏡を取りつけて日光を反射させることで欠陥を修正しようとしたけれど、あまりに出発点が低すぎて挽回できなかった。

単なる段階的改善ではエンドユーザーからはほとんど改善に見えないため、企業は一〇倍優れたものを目指す必要がある。たとえば、既存技術より二割効率のいい風力発電機を開発したとしよう。といっても、研究室の中での効率だ。一見うまくいきそうに思えるけれど、現実に

*1　ソリンドラ／SOLYNDRA
2005年にカリフォルニア州で創業された太陽電池メーカー。09年にグリーン・ニューディール政策の一環として米政府から融資保証を受け、11年にはオバマ大統領も訪問したが同年に破綻した。

新製品にかかるコストやリスクはそこに含まれていない。新技術がユーザーにとって本当に二割お得だとしても、誇大広告に慣れた消費者はそれを疑ってかかるだろう。一〇倍の改善なら、掛け値なしに優れたプロダクトだとわかる。

タイミング

クリーンテクノロジーの起業家たちは、ついに登場すべき時がきたと必死に自分を納得させていた。スペクトラワット[*2]のCEO、アンドリュー・ウィルソンは、二〇〇八年の創業時にこう語っている。「太陽光発電産業は一九七〇年代末のマイクロプロセッサ産業と同じだ。今後多くの発見と改善がなされるだろう」。後半は正しいけれど、マイクロプロセッサとの比較は大間違いだった。一九七〇年に世界初のマイクロプロセッサが開発されて以来、コンピュータは急速どころか指数関数的に進化した。インテルの製品開発の歴史を見ればそれは明らかだ。

一方で、世界初のシリコン太陽電池がベル研究所で開発されたのは一九五四年――ウィルソン発言よりも半世紀以上も前になる。その間に変換効率は上がったものの、進化のスピードは遅く、直線的だった――ベル研が発明した最初の太陽電池の変換効率六パーセントに対して、直

*2　スペクトラワット／SpectraWatt
インテル社から2008年に事業独立した太陽電池メーカー。政府からの融資も受けながら11年に破綻した。

近の結晶系シリコン太陽電池も薄膜電池も、二五パーセントを超える変換効率には達していない。二〇〇〇年代の半ばになると技術的な進歩はあまり見られず、すぐに大幅な改善は期待できなかった。動きの遅い市場に参入することが賢い戦略となる場合もあるけれど、それは市場を独占できるような具体的かつ現実的な計画がある時だけだ。破綻したクリーンテクノロジー企業にはそれがまったくなかった。

独占

二〇〇六年、テクノロジー投資家のジョン・ドーア[*3]はこう宣言した。「グリーンは新たな赤、白、青（星条旗色）だ」。「赤」で止めておくべき

世代	プロセッサ・モデル	年
4-bit	4004	1971
8-bit	8008	1972
16-bit	8086	1978
32-bit	iAPX 432	1981

*3　ジョン・ドーア／John Doerr

1951年ミズーリ州生まれのベンチャーキャピタリスト。インテルを経てKPCBパートナー。Compaq、Netscape、Sun Microsystems、Amazon、Googleなど多くの企業に出資してきた。

だったかもしれない。ドーアが言うとおり、「インターネット市場は数十億ドル規模。エネルギー市場は数兆ドル規模」だ。でも、数兆ドル規模の市場が過酷で血なまぐさい競争《レッド・オーシャン》の場であることを、彼は言い忘れたようだ。ドーアの言葉はたびたび繰り返された。二〇〇〇年代、僕は何十社もの環境関連企業から数兆ドル規模の市場というバラ色のストーリーを聞かされた。大きな市場がいいことだとでも言うように。

　代替エネルギー企業の経営陣は、エネルギー市場は新規参入者をすべて受け入れられるほど巨大だと言い張り、誰もが自分たちの会社に特別な優位性があると口を揃えていた。二〇〇六年、太陽電池を製造するミアソーレ[*4]のCEO、デイブ・ピアースは、議会の特別委員会で、自分の会社はある特殊な薄膜太陽電池の開発に「特に優れた」いくつかのスタートアップの中の一社でしかないことを認めた。その数分後、ピアースはミアソーレが数年のうちに「世界最大の薄膜太陽電池メーカー」になるだろうと言ってのけたのだ。そうはならなかったけれど、たとえそうなったとしても大した助けにはならなかったはずだ。薄膜は何十種類とある太陽電池の一種にすぎない。ユーザーにとってはどんな技術かはどうでもよく、これまでより優れた問題解決の手段ならそれでいい。しかも、小さな市場で独自のソリューションを独占できなければ、過酷な競争からは抜け出せない。ミアソーレも例外でなく、この会社は投資家がつぎ込んだよりも何億ドルも低い金額で二〇一三年に買収されることになった。

*4　ミアソーレ／MiaSole

2001年にカリフォルニア州で創業された薄膜太陽電池メーカー大手。13年に中国の漢能控股集団に買収された。

自分たちの独自性を誇張することで、独占の質問をかわすことはできる。たとえば、君の太陽光発電会社が数百件のソーラーパネルシステムを設置し、合計で一〇〇メガワットの発電能力を確保したとしよう。アメリカ全体の太陽光発電能力は九五〇メガワットなので、君は一〇・五三パーセントの市場シェアを握っていることになる。やった、と自分を褒めるだろう。これでプレーヤーになれた。

だけど、アメリカ国内の太陽光発電市場が正しい比較の対象だろうか？　一八ギガワットの能力を持つグローバルな太陽光発電市場が相手だとしたら？　一〇〇メガワットなんてほんの雑魚でしかない。君の市場シェアは一パーセントにも満たない。

では、正しい比較対象が世界の太陽光発電で

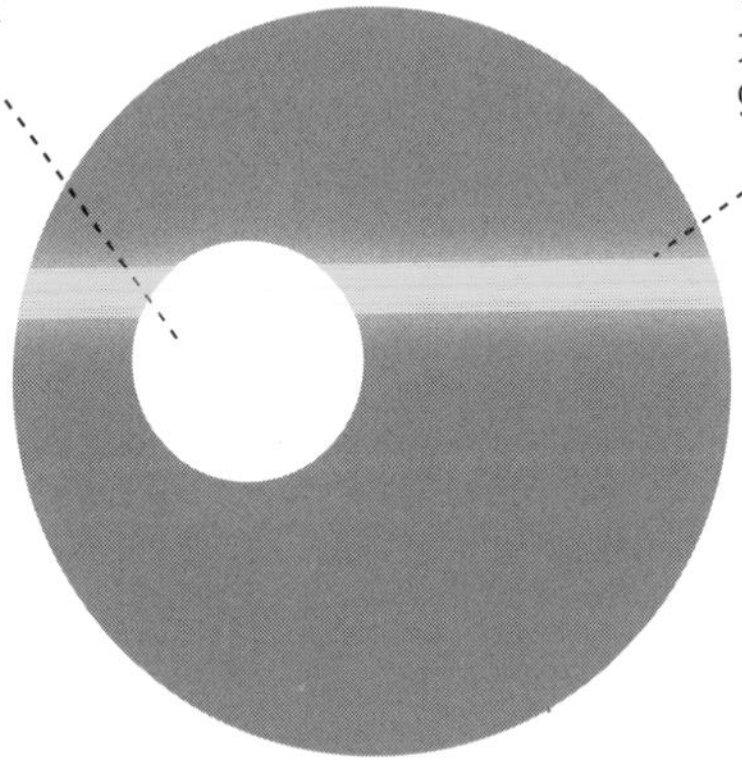

はなく、再生可能エネルギー全体だとしたらどうだろう？　グローバルな再生可能エネルギーの年間生産能力は四二〇ギガワット。君のシェアは〇・〇二パーセントに縮んでしまう。そしてグローバルな総発電量の一万五〇〇〇ギガワットに比べると、一〇〇メガワットなんて大海の一滴にしかすぎない。

　クリーンテクノロジーの起業家は、救いようのないほど市場の捉え方を勘違いしている。自分たちの差別化を強調できるようにわざと市場範囲を狭め、そのくせ市場が巨大で儲かると言って価値を高く見せたがる。でもその市場セグメントが架空のものなら独占はできないし、市場が巨大なら競争が過酷で成功の可能性は低い。環境テクノロジーの起業家になるくらいなら、パロアルトのダウンタウンにイギリス料理のレス

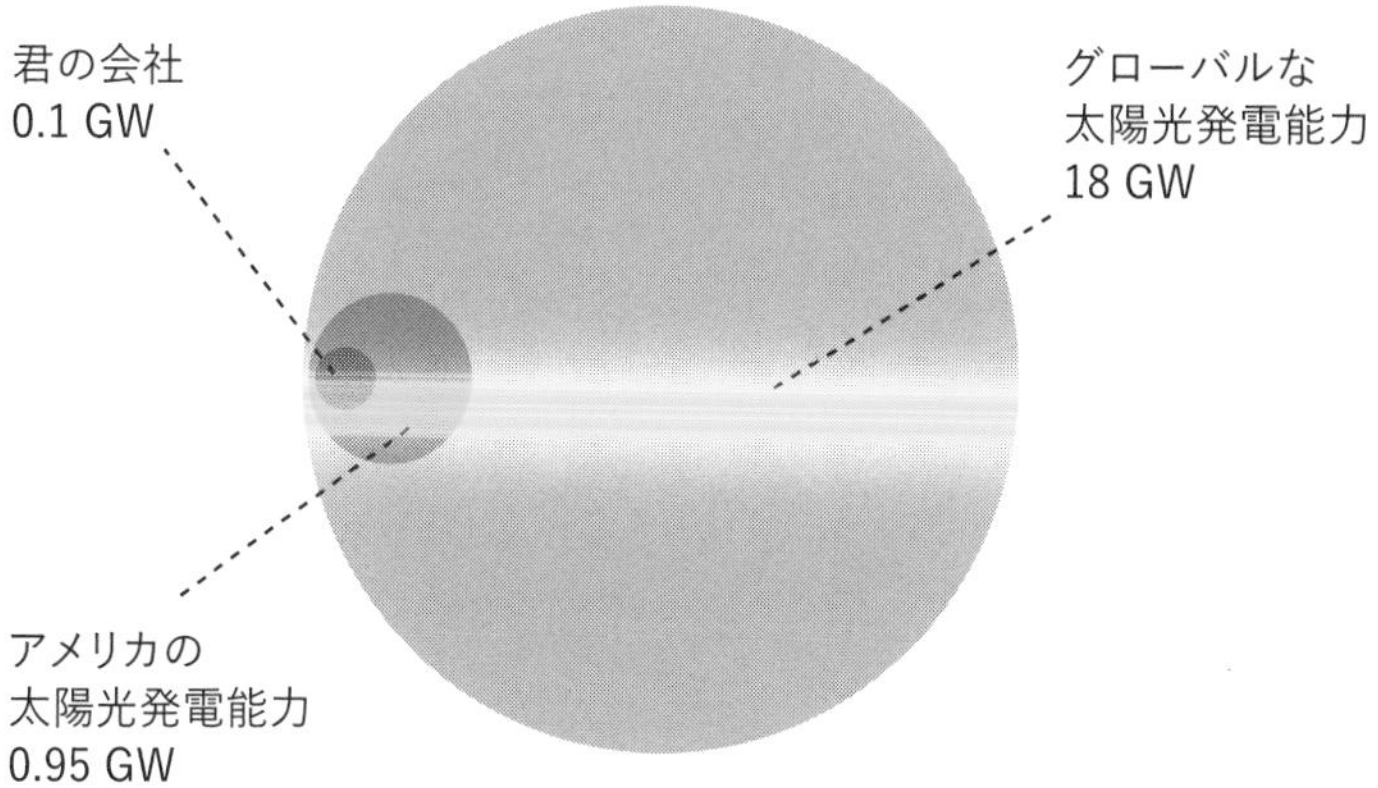

トランを開店する方がまだましだろう。

人材

エネルギー問題はエンジニアリングの問題だ。ということは、クリーンテクノロジー企業を経営しているのは技術屋だと思うかもしれない。でもそれは間違いだ。失敗企業を経営していたのは、驚くほどテクノロジーに疎いチームだった。営業マン経営者は資金調達や政府の補助金獲得には長けていたけれど、消費者が欲しがる製品を開発することにかけてはそうでもなかった。

ファウンダーズ・ファンドにいる僕たちには、それが予想できた。何よりそれが表われていたのが服装だ。環境エネルギー企業の経営者たち

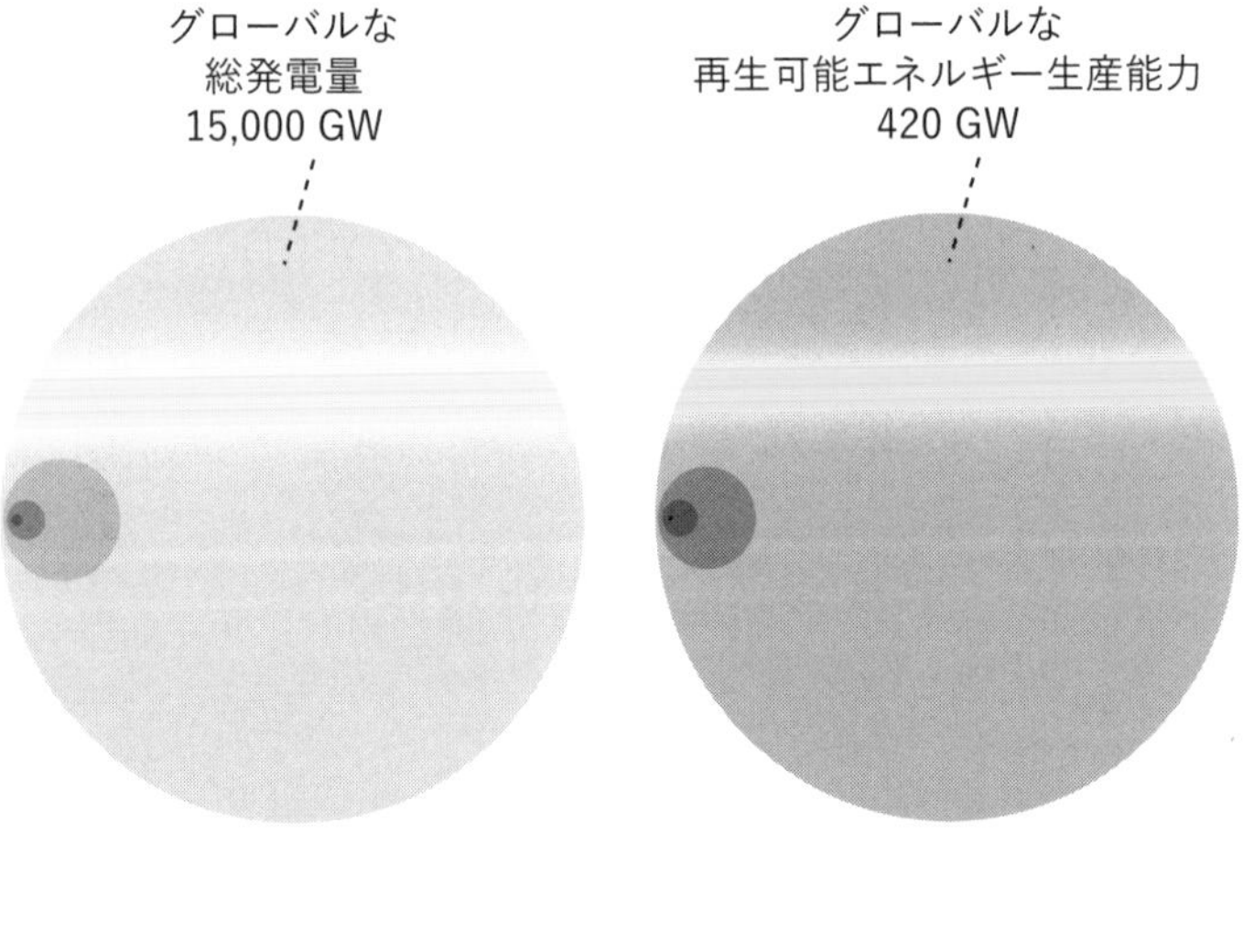

はスーツにネクタイで走り回っていた。ものすごく赤信号だ――本物の技術屋はTシャツとジーンズ姿のはずだから。そこで、僕たちは統一ルールを決めた――創業者が正装して売り込みに来るような会社はパス。それぞれの会社を細かく評価していたとしても、おそらく同じ結果になったはずだけれど、スーツを着たCEOのいるテクノロジー企業には絶対投資しないというルールのおかげで、意思決定が速まった。一流の営業は、売り込みだとわからない。売り込み上手なCEOは歓迎だけれど、いかにも営業マンらしいCEOは実はおそらく売り込み下手で、テクノロジーについてはさらにお粗末だと思っていい。

左：ブライアン・ハリソン（ソリンドラCEO）、右：イーロン・マスク（テスラ・モーターズCEO）

販売

クリーンテクノロジー企業は政府や投資家との付き合いはうまかったけれど、消費者のことを忘れていたようだ。彼らは高い勉強代を払って、現実の世界は研究室ではないことを学んだ――販売と流通はプロダクトそのものと少なくとも同じくらい大切だということだ。イスラエルの電気自動車スタートアップ、ベタープレイスは二〇〇七年から二〇一二年の間に八億ドル以上を調達し、交換可能なバッテリーパックと充電ステーションを開発した。彼らは「汚染を生み出す輸送テクノロジーへの依存を減らすような、環境に優しい代替手段を創り出すこと」を目指した。そして、それを実現した――破産を申請する前に少なくとも一〇〇〇台は売ったのだから。それほどの台数を売っただけでもすごい。というのも、消費者にとってはあり得ないほど買いづらい代物だったからだ。

まず、消費者は実際に何を買わされているのかよくわからなかった。ベタープレイスはルノーからセダンを仕入れ、それに電池と電気モーターを搭載していた。これは電気仕掛けのルノーなのか、あるいはベタープレイスの車だろうか。いずれにしろ、買うことを決めたら、いくつかのハードルを乗り越えなければならない。まず買い手はベタープレイスからの承認を受ける必要があった。そのためにはバッテリー交換ステーションの近くに住んでいることを証明し、決まった道を走ると約束しなければならない。それに合格すると、充電のための定期燃料購買契約に加入させられる。そこで初めて、道路に車を止めてバッテリー交換をするという新しい習慣を習い始めることができる。

ベタープレイスは、テクノロジーさえあれば自然に売れるはずだと考え、市場に向けてはっきりと優位性を打ち出すことさえしなかった。それを歯がゆく感じていたユーザーは、会社が潰れてこう振り返った。「テルアビブのビルボードにトヨタのプリウスとこの車の写真を並べて、こっちは値段は同じで四年分の燃料がついてくると宣伝すればよかったのに！」いずれにしろ彼はこの車を買ったわけだけれど、ほとんどのユーザーと違って彼は「これに乗り続けるためならなんでもする」という趣味人だった。残念ながら、それはかなわなくなってしまった。ベタープレイスの取締役会は、「技術的な問題は克服できたが、それ以外に乗り越えられない障害があった」として、二〇一三年にこの会社の資産をたった一二〇〇万ドルで売却してしまった。

永続性

すべての起業家は、自身の市場でラストムーバーとなるような戦略を立てるべきだ。まずはじめに、こう自問しなければならない――今から一〇年から二〇年先に、世界はどうなっていて、自分のビジネスはその世界にどう適応しているだろうか？

それにきちんと答えられる環境テクノロジー企業はほとんどなかった。その結果、みんな同じような言い訳を残して消えていった。二〇一一年、破産申請の数か月前、エバーグリーン・ソーラーは、あるアメリカ工場の閉鎖をこう説明していた。

中国の太陽光発電企業は政治的にも財務的にも大きな支援を受け……我々の生産コストは初期計画を下回り、大半の欧米メーカーをも下回っているが、中国の格安ライバルをはるかに上回る……

「中国バッシング」の大合唱が本格的に広がったのは二〇一二年だった。米国エネルギー省の支援を受けたアバウンドソーラーは、破産申請書類の中で「中国のソーラーパネル・メーカーの略奪的価格設定が、アーリーステージにあるスタートアップの規模の拡大を阻害した」と非難している。二〇一二年二月に破綻した太陽光パネルメーカーのエナジーコンバージョンは、プレスリリースで中国を責めるだけでは足りず、中国太陽光発電メーカー大手三社に対して九億五〇〇〇万ドルの訴訟を起こした。ソリンドラの破産管財人もまた、その年の後半にその三社を独占、談合、略奪的価格設定を理由に訴えている。でも、中国メーカーとの競合は本当に予測不可能だったのだろうか？　環境テクノロジー起業家は永続性の質問をこのように言い換えて自問してみるといい――中国から自分たちのビジネスを守るにはどうしたらいいだろう？　答えがないのなら、潰れるべくして潰れたわけだ。

環境テクノロジー企業は、同じプロダクトを製造するライバルの出現を予期できなかったばかりか、エネルギー市場全体に関して間違った前提を抱き続けていた。化石燃料の枯渇をあてにしていた環境業界は、水圧破砕法《フラッキング》による天然ガスの台頭にまったく気づいていなかった。二〇〇〇年に水圧破砕法によるシェールガスの供給は国内の天然ガス全体のわずか一・七パーセントだった。五年後、その割合は四・一パーセントに上昇していた。それなのに、環境テクノロジー業界の誰もが、このトレンドを真剣に捉えていなかった。再生可能エネルギーが未来への唯一の道だと思っていた――今後化石燃料の価格が下がるはずがないし、クリーンになるはずもないと。だけど、現実には反対になった。二〇一三年、シェールガスは国内の天然ガス供給の三四パーセントを占め、ガス価格は二〇〇八年以来、七〇パーセント以上下落し、ほとんどの再生可能エネルギー企業のビジネスモデルを破壊した。水圧破砕は長期的なソリューションではないかもしれないけれど、その台頭を見逃したクリーンテクノロジー企業を破綻させるには充分だった。

隠れた真実

環境テクノロジー企業はいずれも、世界をよりクリーンにする必要があるという聞き慣れた真実で自己を正当化していた。社会がこれほど熱心に代替エネルギーを求めているからには、すべての環境テクノロジー企業に巨大なビジネスチャンスがあるはずだという妄想を自分に信じ込ませていたのだ。太陽光への強気な姿勢が、二〇〇六年にはどれほど常識になっていたかを考えてほしい。その年、ブッシュ大統領は「アメリカ人家族がソーラールーフを通して自分で電力をまかなえる」未来を高々と謳っていた。クリーンテクノロジー起業家であり投資家でもあるビル・グロス[*5]は、「ソーラーの可能性は巨大だ」と宣言した。ソーラーパネル・メーカー、ソラリアの当時のCEOスヴィ・シャルマは、太陽光は「ゴールドラッシュを彷彿とさせる」と認めながらも、「ここには本物の金がある。つまり、我々の場合それは日光だが」と言った。でも、その「常識」に飛びついた多くの太陽光パネルメーカー――Qセルズ、エバーグリーン・ソーラー、スペクトラワット、そしてグロス自身のエナジー・イノベーションをはじめとしたその他多くの企業――は、前途洋々のスタートからあっという間に破産法廷へと転げ落ちた。彼

*5　ビル・グロス／William Hunt "Bill" Gross

1944年オハイオ州生まれ。「債券王」の異名を持ち、1971年創設の世界最大の債券ファンドPIMCOの共同創設者、最高投資責任者（CIO）。

らは誰もが異論のない「常識」をもとに明るい未来を描いていた。偉大な会社は隠れた真実に気づいている。具体的な成功の理由は、周りから見えないところにある。

社会起業家という神話

環境テクノロジー起業家は、商業的な意味での成功だけを求めていたわけではなかった。環境バブルはまた、史上最大の「社会起業」現象であり、最大のどんでん返しだった。この慈善目的のビジネスというアプローチの根っこには、営利企業と非営利組織は対極にあるという前提が存在する。企業には大きな力があるけれど、利益追求という足かせをはめられている。非営利組織は公共の利益を追求しているけれど、経済全体の中では弱い存在だ。社会起業は両方のいいところを組み合わせ、「社会のためになることをして、利益を上げる」ことを狙っている。ただし、だいたいはどちらも達成できずに終わる。

社会的目標と利益目標の板挟みは成功の妨げとなる。「社会的」という言葉自体のあいまいさはさらに問題だ。「社会的にいいこと」というのは、社会のためになることなのか、それとも単に社会の誰もがいいと見なしていることだろうか？　誰もが手放しで「いい」ということは、代替エネルギーのようなありふれたアイデアと同じで、もはやただの常識にすぎない。

だから進歩を阻んでいるのは、営利企業の強欲と非営利組織の善行とのぶつかり合いじゃない――両者の共通点こそが、僕たちの足を引っ張っている。営利企業がお互いを模倣し合うように、非営利組織も揃って同じ課題を追求する。環境テクノロジーがいい例だろう。あまりに広すぎる目標の名のもとに、数百もの似たり寄ったりのプロダクトが作られている。

本当に社会のためになるのは、これまでと「違う」ものだ。それが新たな市場の独占を可能にし、企業に利益をもたらす。最良のビジネスは見過ごされがちで、たいていは大勢の人が手放しで称賛するようなものじゃない。誰も解決しようと思わないような問題こそ、いちばん取り組む価値がある。

テスラ：七つの質問すべてに答えたスタートアップ

この一〇年の間に起業された環境関連ビジネスの中で、今も生き残っている数少ない企業のひとつがテスラだ。彼らは誰よりも巧みに環境テクノロジーの波に乗る一方で、七つの質問のすべてに答えた企業でもある。彼らの成功から学ぶことは多い。

テクノロジー：テスラにはライバルメーカーも信頼を寄せるほど高い技術力がある。ダイムラーはテスラのバッテリーパックを使用、メルセデス・ベンツはテスラのドライブトレーンを、トヨタはテスラのモーターを使っている。GMはテスラの動きを追うためのタスクフォースを設置したほどだ。でも技術面の最も大きな成果はパーツや部品単体ではなく、多くの部品を組み合わせて高品質な製品にまとめ上げる能力だ。隅々まで行き届いたエレガントなデザインのモデルSセダンは、パーツの集合体を超える価値がある。コンシューマーレポート誌はこのモデルに史上最高の評価を与え、モータートレンドとオートモビルの両誌がこれを二〇一三年のカー・オブ・ザ・イヤーに選んだ。

タイミング：二〇〇九年、誰もが環境テクノロジーへの政府の支援が続くものと予想していた――環境ビジネスの創出は政治的な優先課題で、補助金がすでに予算に組み込まれ、温室効果ガスの排出取引を認める法案が議会を通過する見通しだった。だけど、じゃぶじゃぶの補助金が無限に流れ込んでくると誰もが思い込んでいた中で、テスラCEOのイーロン・マスクはこれが一度きりのチャンスであることを見抜いていた。二〇一〇年一月、オバマ政権のもとでソリンドラが破綻し補助金が政治的に取りざたされるようになるおよそ一年半前、テスラはエネルギー省から四億六五〇〇万ドルのローンを確保した。二〇〇〇年の半ば、五億ドル近い補助金なんて誰も想像しえないことだった。今でもそうだ。それが可能だった一瞬を、テスラは完璧に捉えたのだ。

独占：テスラは自分たちが独占できる極めて小さな市場からスタートした。ハイエンドの電気スポーツカー市場だ。二〇〇八年に発売された初代ロードスターは三〇〇〇台しか売れなかったものの、一〇万九〇〇〇ドルという価格を考えれば、無視できない金額になる。小さく始めたことで、テスラは少し価格の低いモデルSの開発に必要なR&Dにも着手でき、今では高級電気セダン市場もほぼ独占している。二〇一三年には二万台のセダンを販売し、より大きな市場へと将来的に拡大できる好位置につけている。

チーム：テスラのCEOは最高のエンジニアであり、最高のセールスマンでもある。だからその両方に秀でた人材を集められたのもうなずける。イーロンはチームをこんな風に言っている。「テスラに入社することは、特殊部隊に入るようなものだ。通常の軍隊も結構だが、テスラで働けばワンランク上に登れる」

販売：ほとんどの企業は販売を軽く見ているけれど、テスラはそれを真剣に受け止め、自社の販売網を持つことを決めた。独立系ディーラーに頼る自動車メーカーは多い――フォードとヒュンダイは製造だけを行ない、販売は他社に任せている。テスラは自社の販売店で販売とサービスを行なっている。従来のディーラー販売より初期投資ははるかに大きいが、このやり方なら顧客体験をコントロールでき、テスラのブランドを強化して、長期的には節約できる。

永続性：テスラはスタートダッシュを決め、誰よりも速く前進している。ということは、今後他社との差がますます広がるということだ。みんなが欲しがるブランドになったことは、明らかなブレークスルーの証拠だ。自動車は消費者にとっていちばん大きな買い物のひとつで、この分野で消費者の信頼を得るのは簡単なことじゃない。同業他社と違ってテスラはいまだに創業者が経営しているので、しばらくはこの会社が減速することはないだろう。

隠れた真実：テスラは、環境ビジネスへの関心が流行に左右されることを承知していた。特に富裕層は自分を「グリーン」に見せたがり、そのためには箱っぽいプリウスや不格好なホンダ・インサイトに乗ることもいとわなかった。そんな車に乗ってもクールに見えるのは、「地球に優しい」セレブたちも同じ車に乗っているからだ。そこでテスラは、単に乗っているだけで人を

「クール」に見せる自動車を作ることにした。そのカッコよさに、レオナルド・ディカプリオでさえ、プリウスを捨ててより高価な（見かけも値段も）テスラ・ロードスターに乗り換えたほどだ。ほとんどの環境企業が差別化に苦労する中で、テスラは隠れた真実を発見し、その上に独自のブランドを築いた。それは、クリーンテクノロジーは環境に必要なものというより、むしろ社会現象であるという真実だった。

エネルギーの未来

テスラの成功は、クリーンテクノロジー自体になんの問題もないことを証明している。その背景にある大きな発想は正しい――世界は新たなエネルギー源を本当に必要としている。エネルギーは生きるために不可欠な資源だ。食べ物、住処、居心地のいい生活に必要なすべてのもとになる。世界中のほとんどの人は、今のアメリカ人と同じような暮らしを夢見ているけれど、新しいテクノロジーを開発しなければ、グローバリゼーションによって今後ますますエネルギー状況は厳しくなるだろう。古いやり方を模倣したり、今の繁栄を再分配するだけの余裕は、この世界には残されていない。

　クリーンテクノロジーはエネルギーの未来に明るい見通しをもたらした。ただし、代替エネルギーという大ざっぱな概念に賭けた、あいまいな楽観主義者の投資家が、具体的なビジネスプランもないクリーンテクノロジー企業に投資したために、バブルが起きた。代替エネルギー企業の二〇〇〇年代の株価をその一〇年前のナスダック指標と重ねると、ほぼ同じ形であることがわかる。

　一九九〇年代には、ひとつの大きな発想があった――**インターネットはビッグになる**。だけど、どのインターネット企業もこのまったく同じ発想しかなくて、それ以外の発想は何も持ち合わせていなかった。こうしたマクロ規模の洞察を得たとしても、起業家がそれを独自の計画に落とし込み、小さな規模から始めない限り、マ

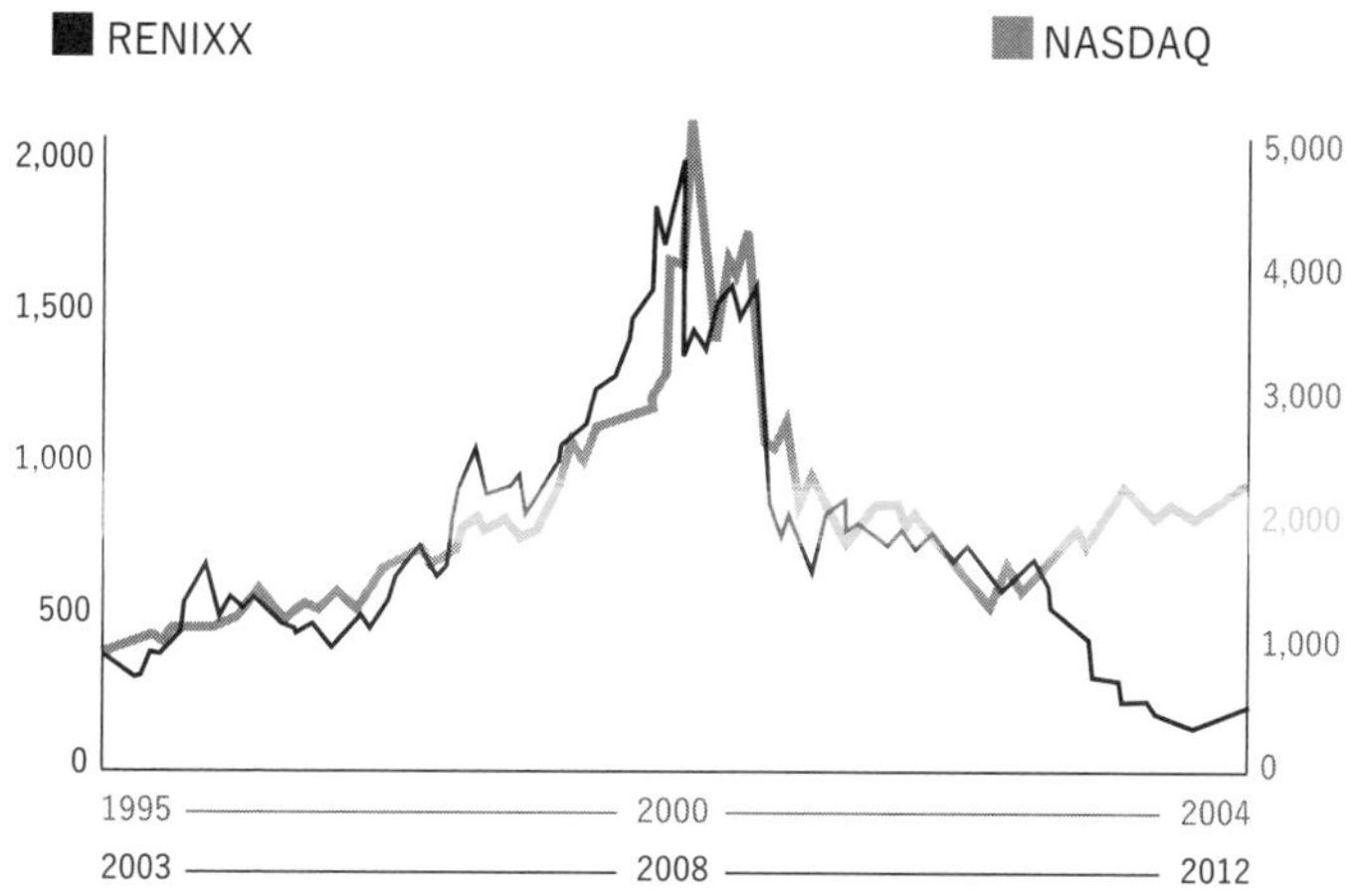

クロトレンドから恩恵を受けることはできない。環境テクノロジー企業も同じだ。どれほど世界がエネルギーを必要としていても、具体的な問題への優れたソリューションを提供できなければ、お金にはならない。どんなに重要な産業でも、参入するだけでは偉大な企業にはなれない。

テクノロジー・バブルは環境バブルよりはるかに大きく、その崩壊もまた大きな痛みを伴った。それでも九〇年代の夢は正しかったことが証明されている。二〇〇一年当時は、インターネットが出版や流通や日常的な人付き合いを根底から変えることなんてないだろうと言う人もいたけれど、今ではそれが冗談のようだ。ドットコム・バブル崩壊の後に起業したウェブ2.0のスタートアップが成功したように、環境バブル崩壊の後には新たなエネルギー企業が成功するだろうか？　マクロレベルでエネルギー問題の解決が今も求められていることは間違いない。でも、ニッチを見つけて小さな市場を支配しなければ、価値ある企業にはなれない。フェイスブックはいち大学のキャンパス内でのサービスとして始まり、その後ほかの大学へ、そして世界全体へと広がった。エネルギー問題の小さな市場を見つけるのは想像以上に難しい。離島の動力源をディーゼルから置き換えることもできるし、戦闘地域の軍事キャンプに移動式のモジュラー炉を設置することもできるかもしれない。逆説的だけれど、エネルギー2.0を生み出す起業家は、小さく考えることが必要になる。

14 創業者のパラドックス

ペイパルの創業者六人組のうち、四人は高校時代に爆弾を作っていた。五人はちょうど二三歳か、それより若かった。僕らのうち四人はアメリカ生まれではない。三人は共産圏からの脱出者だ――ユーパンは中国、ルーク・ノゼックはポーランド、マックス・レヴチンはソ連時代のウクライナ出身だ。もちろんそうした国でも、普通の高校生は爆弾など作らない。

僕ら六人組は、人の目には奇異に映ったことだろう。僕が初めてルークと交わした会話は、人体の冷凍保存についてで、彼は未来の医療技術で蘇生してもらえることを期待して遺体を保存する契約を結んだところだった。マックスは自分にはふるさとといえる国がないと言い、それを誇りにしていた——彼の家族はソ連崩壊とともに政治的亡命者となってアメリカに逃れた。ラス・シモンズはトレイラー生活からイリノイ州トップの理系校へと進んだ。典型的なアメリカの特権階級に育ったのはケン・ハウェリーだけだ——ペイパルで唯一のイーグルスカウトだ。でも、ケンの仲間たちは彼が一流銀行を蹴ってその三分の一の給料しか稼げない僕たちに加わることを狂ってると思ったらしい。ということは、彼も普通じゃなかったわけだ。

　創業者とは誰でも非凡なのだろうか？　それとも、非凡な部分を取り上げて誇張しているだ

ペイパルチーム

けなのか？　何より重要なのは、実際にどの個人的資質が創業者として大切なのかということだ。この章では、取り換えのきく管理職ではなく、際立った個性を持つリーダーが会社にとってなぜ重要で、同時になぜ危険なのかについて見ていこう。

差別化のエンジン

世の中には強い人間もいれば弱い人間もいる。天才もいれば鈍い人もいる。だけど、ほとんどの人はその中間にいる。その割合はきれいな正規分布になるはずだ。

創業者の多くは極端な個性を持っているように見えるので、創業者だけの分布なら両端が厚

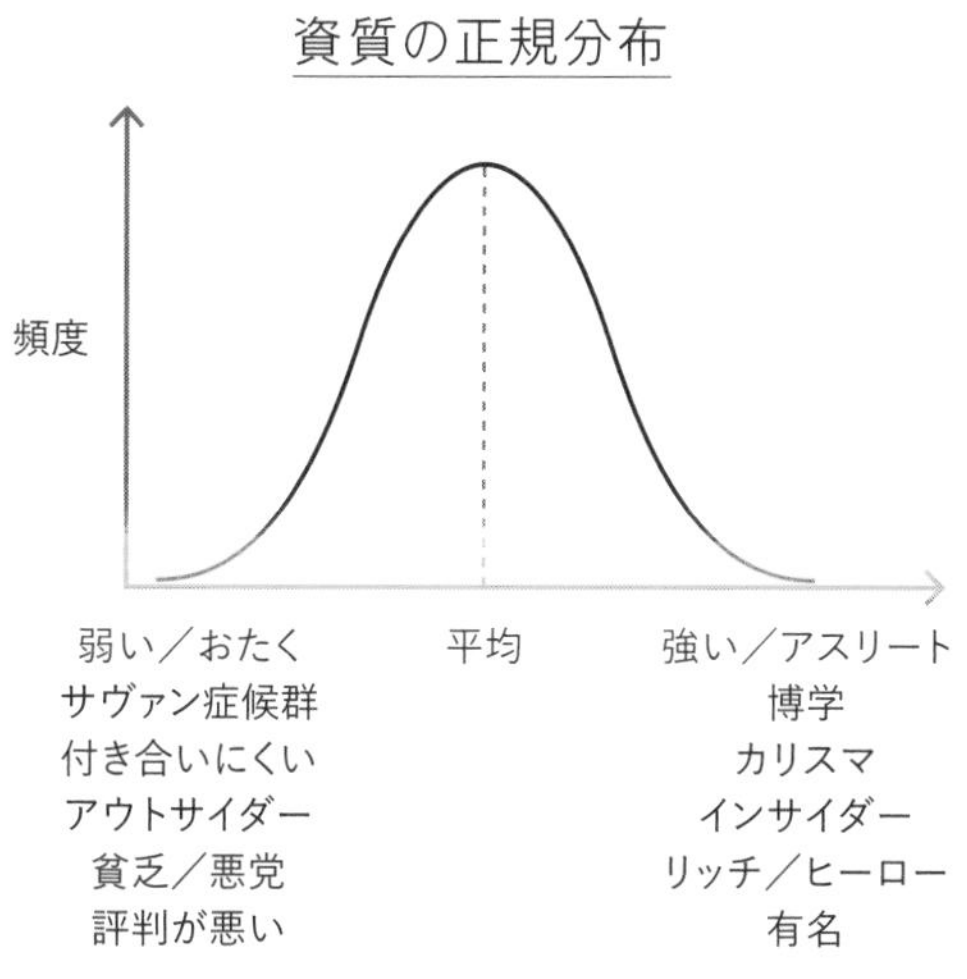

くて山の低いグラフになると思うかもしれない。

　だけど、そのグラフからは創業者に共通する奇妙な特徴はわからない。普通なら、ひとりの中に正反対の特徴は共存しない。たとえば、ある人が金持ちでもあり、同時に貧乏だということはあり得ない。でも、創業者にはそれが起こり得る。スタートアップのＣＥＯは現金はなくても紙の上では億万長者だということがある。鼻持ちならない嫌なヤツと魅力あるカリスマの間を行き来することもある。成功している起業家はほとんどみなインサイダーでありながら同時にアウトサイダーだ。成功すると、有名にもなるけれど悪名にもまみれる。創業者の資質をグラフにすると、正規分布の反対になる。

　この奇妙で極端な資質の組み合わせはどこからくるのだろう？　生まれつきという場合もあ

両端の厚い分布

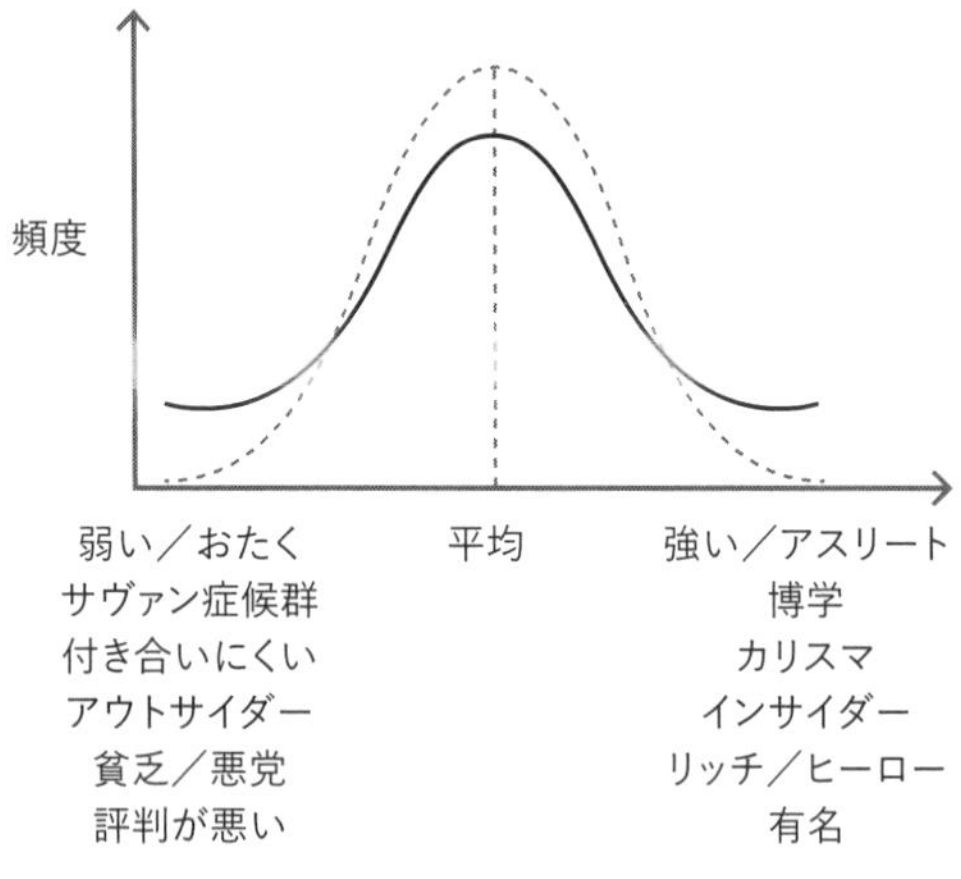

れば、環境によって身につく場合もあるだろう。でも、おそらく創業者は本当は見かけほど極端じゃないはずだ。だとすると、ある部分をわざと誇張しているのかもしれない。周りが大げさに言っているだけという可能性もある。そうした影響が極端な部分をさらに極端にしていることもある。変わった人間が変わった行動をすることで、ますます変わって見えるのだ。

たとえば、バージングループ創業者のリチャード・ブランソン卿を例に挙げてみよう。彼は生まれつきの起業家と言っていい。一六歳で初めて起業し、わずか二二歳でバージン・レコードを立ち上げた。だけど、それ以外の特徴、たとえばトレードマークのふさふさのライオンヘアーは、それほど天然でもない。もともとの見かけはかなり違っていたようだ。ブランソンが極端

創業者の分布

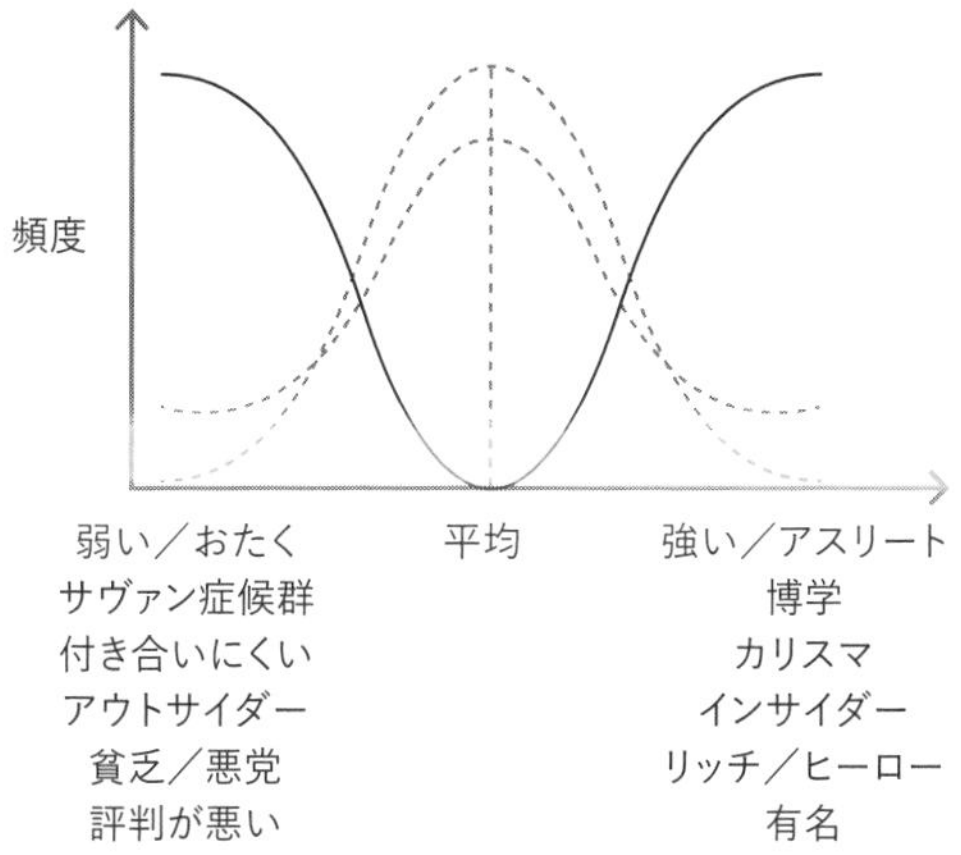

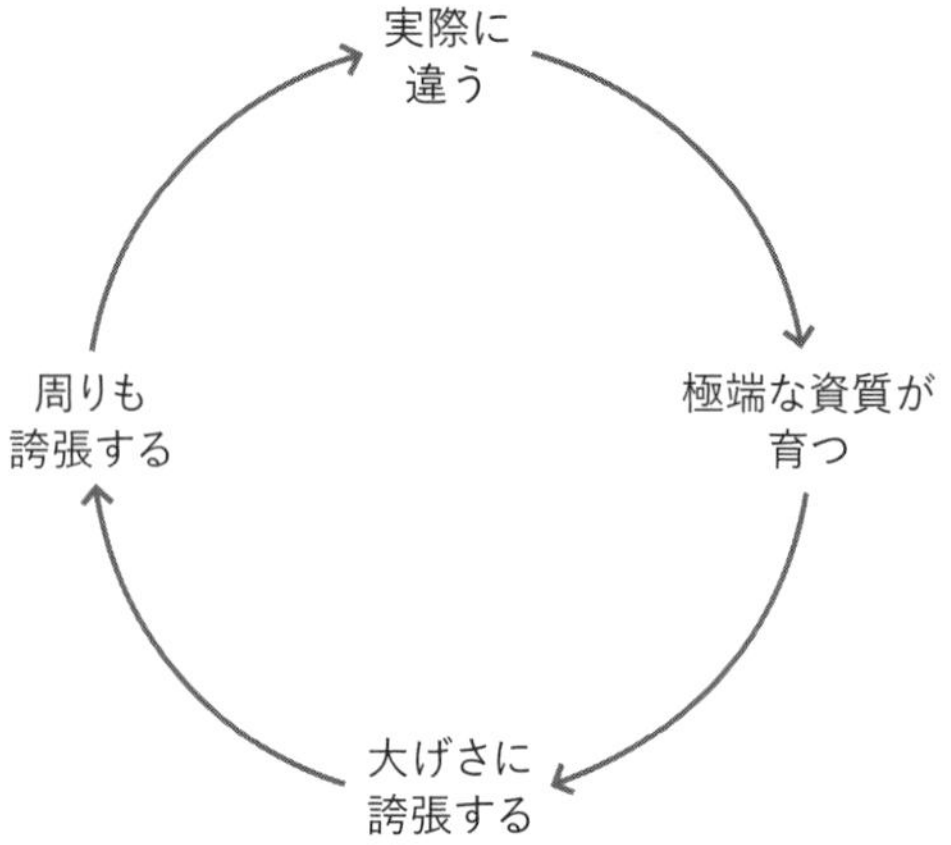

な性格を演出するにつれ（全裸のスーパーモデルとのカイトボーディングはＰＲ戦術だろうか？　それともただの遊び？　その両方？）、マスコミはせっせと彼を持ち上げた。ブランソンを「バージン・キング」「ＰＲのまがいなき王様」「ブランディングの天才」「砂漠と宇宙の帝王」などと呼んだ。バージンアトランティック航空がブランソンの顔をかたどった氷入りの飲み物を提供し始めると、「アイスキング」とも呼んだ。

　ブランソンは優秀なＰＲチームの助けを借り、マスコミによって帝王にされただけの普通のビジネスマンなのだろうか？　それとも生まれつきブランディングの天才で、マスコミを操ることに長けていたのだろうか？　どちらということはできない。おそらくその両方なのだろう。

　もうひとりの例は、もともと究極のアウトサイダーだったショーン・パーカーだ——何しろ犯罪者だったのだから。高校時代、ショーンは慎重なハッカーだった。ところが、一六歳の息子がコンピュータにかじりついていることを気にかけた父親が、ハッキングの最中にキーボードを取り上げてしまった。ショーンはログアウトできず、ＦＢＩがそれに気づいた。まもなく彼は逮捕されてしまう。

未成年だったショーンは軽いお咎めで済んだ――ただし、この事件が彼をさらに大胆にした。三年後、彼は友だちとナップスターを立ち上げた。Ｐ２Ｐのファイル共有サービスは初年度に一〇〇〇万ユーザーを獲得し、史上最も急成長したビジネスのひとつとなった。でも、レコード会社に訴えられ、立ち上げから二〇か月後に連邦裁判所より閉鎖を命じられた。一瞬だけ表舞台に立ったショーンは、ふたたびアウトサイダーとなる。

フェイスブックが登場したのはその後だ。二〇〇四年、ショーンはマーク・ザッカーバーグに出会い、

フェイスブックの最初の資金調達を助けて創業社長になった。薬物使用の疑いで二〇〇五年に退任したものの、それは逆にワルガキという評判を高めることになる。映画『ソーシャル・ネットワーク』でジャスティン・ティンバーレイク（JT）がショーンを演じて以来、彼はアメリカで最もクールな人間のひとりと見なされている。もちろんJTの方が有名だけれど、シリコンバレーでは彼をショーン・パーカーだと勘違いする人もいる。

世界的に有名な人たちも、創業者と言っていい。彼らはみな、会社ではなく自分のブランドを築き上げている。たとえば、レディー・ガガは世界で最も影響力の大きな人間のひとりになった。でも、レディー・ガガという人物は本当に存在するのだろうか？本名は明かされていないけれど、誰もそれを知らないし気にしない。彼女のコスチュームは奇抜すぎて、

*1 「ボーン・ディス・ウェイ」／Born This Way

レディー・ガガが2011年に発表した2枚目のスタジオ・アルバムおよびそのシングル曲。ビルボードを含む世界18か国でチャート１位を獲得した。

彼女以外の人間が着たら精神病棟送りになってもおかしくないほどだ。周囲には「生まれつき《ボーン・ディス・ウェイ》」[*1]だと思わせているけれど、頭から角の生えたゾンビのような姿で生まれてくる人間はいない。ということは、ガガは自身の作り上げた神話に違いない。そこでもう一度問いたいのは、自分をそんな風に作り上げるのは、どんな人物だろう？　ノーマルでないことは確かだ。つまり、ガガはおそらく本当に「生まれつき」ガガなのだ。

王《キング》はどこからやってくる？

極端な創業者像は、歴史の中でも繰り返し登場してきた。古典神話には、そんな登場人物が溢れている。オイディプス王[*2]はインサイダーとアウトサイダーの両面を持つ人物の典型だ。幼くして捨てられ、異国の地で命を落とすが、有能な王であり、スフィンクスの謎を解くほど賢かった。

ローマの建設者とされるロームルス[*3]とレムスは王家に生まれたが子どもの頃に捨てられる。自らの血統を知った二人は都市を建設しようと決意する。だが、その場所をめぐって二人は対立した。ロームルスが引いた境界線をレムスが越えたため、ロームルスはレムスを殺し、こう宣

*2　オイディプス王／Oedipus

ギリシア神話に登場する王。実の父を殺し、実の母と婚姻した。ソポクレスによる戯曲は、ギリシア悲劇の最高傑作とも言われる。

言した。「我が城壁を越えた者は何者も滅びるであろう」。立法者でありながら法を犯し、追放された犯罪者でありながらローマを築いた王、ロームルスもまた、インサイダーとアウトサイダーの両面を持つ自己矛盾に満ちた人間だった。

普通の人はオイディプス王やロームルスのようなことはない。彼らが実際にどんな人間だったにしろ、神話の中では極端な逸話だけが語られる。でも、どうして古代の人々は非凡な人物をこれほど大事に祭り上げたのだろう？

昔から、偉人と悪人は大衆感情の受け皿となってきた。彼らは繁栄の中では賞賛され、不運の中では責められた。原始社会においては、ある根本的な問題が何よりも重要だった——対立を止める手段がなければ、社会はバラバラに壊れてしまう。だから飢饉や災害やライバル争いなどで平和が脅かされると、社会はすべての責任を、みんなが納得できるようなひとりの人間に押し付けた。それが、生け贄だった。

どんな人が生け贄になるのだろう？　創業者と同じく、生け贄になるのもまた極端で矛盾を抱えた人物だ。一方で、生け贄は弱い者でなければならない。犠牲者となることを自分では避けられないほど、力のない人物だ。だけど他方で、罪をかぶって対立を和らげることができるという意味では、コミュニティの中で最も影響力のある人物でもある。

生け贄はしばしば、処刑前に神のように崇められる。アステカ族は生け贄を神の化身と見な

*3　ロームルスとレムス／Romulus, Remus

ローマの建国神話に登場する双子の兄弟。ローマ市は紀元前753年4月21日にこの双子の兄弟によって建設されたと伝えられている。

していた。生け贄は正装してごちそうを食べ、一瞬だけ王のように扱われたあとに心臓をえぐられる。それは君主制のルーツとも言える。王様はみな現人神で、殺されることで本物の神となる。現代の王様は処刑の時をなんとか遅らせている生け贄にすぎないのかもしれない。

アメリカの王族たち

アメリカではセレブリティがいわゆる「王族」に等しい存在だ。僕たちはお気に入りの芸能人をそんな風に呼んでいる。エルビス・プレスリーはキング・オブ・ロック。マイケル・ジャクソンはキング・オブ・ポップ。ブリトニー・スピアーズはポップ・プリンセス。

だがそれも、王でなくなるまでだ。エルビスは七〇年代に自暴自棄になり、肥満となってトイレにひとり座ったままで亡くなった。今日、彼のモノマネといえば、スラリとしたクールな姿ではなく、太って怪しげな風貌だ。マイケル・ジャクソンはみんなに愛された少年スターから、見た目も行動も奇怪な薬物中毒者となった。世界は彼の訴訟をあれこれと取りざたした。ブリトニーのストーリーは誰よりドラマチックだ。僕たちが勝手に彼女の偶像を作り上げ、ティーンエイジャーだった彼女をスターダムに押し上げた。その後、何もかもが狂い始める。頭を剃りこんだブリトニーには、過食と拒食の噂が絶えず、親権争いの裁判の一部始終をマスコミは追いかけた。彼女は昔から少しクレイジーだったのだろうか？　マスコミの餌食にされただけなのか、それとも、あの奇行はもっと注目を集めるためだったのか？

堕ちたスターの中には、死によって復活する者もいる。多くの有名ミュージシャンが、二七歳でこの世を去っている。ジャニス・ジョプリン、ジミ・ヘンドリックス、ジム・モリソン、カート・コバーン。彼らは「27クラブ」として永遠の生を得た。二〇一一年にこのクラブの一員となったエイミー・ワインハウスは、こう歌っていた。「リハビリ施設に連れていかれそうになって、『ノー、ノー、ノー』と言ったのよ」。リハビリ施設を敬遠したのは、それが永遠の命への妨げに見えたからかもしれない。若くして死ななければ、永遠のロックの神様にはなれないのだろう。

僕たちは、セレブリティを崇めては憎むように、テクノロジー起業家を持ち上げては蔑む。名声の頂点を極め悲惨な最期を遂げたハワード・ヒューズの軌跡は、二〇世紀のテクノロジー起業家の中でも、最も劇的だった。裕福な家庭に生まれながらも、ヒューズはいつも贅沢より機械に惹かれていた。一一歳でヒューストン初の無線通信装置を作ると、その翌年には、町で初めてのオートバイも作ってしまう。ハリウッドがテクノロジーの開拓者だった時代、三〇歳前にして九本の商業映画を成功させていた。それよりもヒューズの名声を轟かせたのは、映画と同時に経営していた航空事業だった。ヒューズは航空機を自ら設計し、作り、自分で操縦した。最速航空記録を打ち立て、最速で大陸を横断し、最速で世界を一周した。

　ヒューズはまた、誰よりも高く飛ぶことにこだわった。自分はギリシャの神と違っていつか死ぬのだとよく口にしていた――それは神と自分を同じ土俵に乗せるための発言だった。「ヒューズはあなたや私と同じものさしで測ることのできない人物だ」。ヒューズの弁護士は連邦裁判所でそう訴えた。ヒューズが金を払って言わせたことだったが、ニューヨークタイムズに

よると、「判事も陪審員も、その点について異論はなかった」ようだ。航空分野での業績を認められて一九三九年に議会名誉黄金勲章を授与された時も、ヒューズは受け取りに来なかった。しばらくあとになってトルーマン大統領がホワイトハウスで勲章を見つけて、郵送したほどだった。

ヒューズの終わりの始まりは、三度目の深刻な墜落事故を起こした一九四六年だった。その時亡くなっていれば、ヒューズは歴史上最もダンディで成功したアメリカ人として永遠に記憶されていただろう。だが彼はぎりぎりのところで生き延びてしまった。強迫性障害を発症し、痛み止め中毒に陥り、誰とも会わず、人生の最期の三〇年間をひとり部屋にこもって過ごした。ヒューズは以前から少し変わっていて、奇妙にふるまえば誰からも邪魔をされないだろうと考えていた。ところが、行動だけでなく人生そのものが変になった彼は、崇拝とともに哀れみの対象となった。

最近では、ビル・ゲイツのような極端に目立つ成功者は激しい攻撃の対象とされるようになった。ゲイツは起業家の典型だ。人付き合いの苦手なおたくの大学中退者でありながら、同時に世界一の金持ちでもある。あの瓶底メガネは、際立った個性を演出するための小道具だったのだろうか？　それともあの瓶底メガネが救いようのないおたくのゲイツを選んだのだろうか？　それはわからない。でも彼は疑いようのない市場支配力を握った。二〇〇〇年にマイクロソフトのウィンドウズはオペレーティング・システム市場の九割のシェアを握っていた。その年、ニュースキャスターのピーター・ジェニングスはこう訊いた。「世界で最も重要な人物は誰だろう？　ビル・クリントンか、ビル・ゲイツか？　私にはわからない。難しい問題だ」

司法省はその疑問を行動に移した。マイクロソフトへの捜査を開始し、「競争制限的な取引方法」を行なっているとして提訴したのだ。二〇〇〇年六月、連邦地裁は分割を命じる判決を下す。ゲイツはその六か月前にCEOを退き、新たなテクノロジーの開発をやめて訴訟対応にほぼ専念せざるを得なくなっていた。控訴審では分割命令が破棄され、二〇〇一年には政府との和解が成立する。でも、その頃までにゲイツの敵は彼を経営からすっかり引き離し、マイクロ

ソフトは低迷の時代に入っていた。今のゲイツは、テクノロジー開発者としてではなく、慈善事業家としての方が有名だ。

王の帰還

マイクロソフトへの訴訟によってビル・ゲイツの支配が終わりを迎えようとしていた頃、スティーブ・ジョブズがアップルに復帰し、創業者は取り換えのきかない存在であることを証明していた。スティーブ・ジョブズとビル・ゲイツは、ある意味で正反対だった。アーティストのジョブズは閉ざされたシステムを好み、何よりも偉大な製品を創ることしか考えていなかった。ビジネスマンのゲイツは、システムを第三者に開放し、世界を支配しようとした。でも、どちらもインサイダーとアウトサイダーの両面を持ち、自分たちの立ち上げた会社をほかの誰にも追いつけないほどの高みに押し上げた。

大学を中退し、裸足で歩きまわってシャワーを浴びることも拒否していたジョブズは、自分というカルトのインサイダーだった。カリスマにもクレイジーにもなれたのは、気分によるところもあれば、計算もあったのだろう。りんごダイエットといった奇妙な行動が大きな戦略の一部でなかったとは思えない。でも、一九八五年にはこうした奇行のせいですべてを失うことになる。大人による監督を受けるためにジョブズ自身が招いたプロのCEOと衝突し、取締役会から自分の作った会社を追い出されてしまったのだ。

それから一二年後のジョブズの復帰は、ビジネスにおいていちばん大切な仕事――新たな価値の創造――は方程式で導かれるものでも、プロ経営者によって管理されるものでもないことを証明した。一九九七年にジョブズがアップルの暫定CEOとなった時、申し分のない経歴を持つそれまでの経営者たちはアップルを倒産寸前にまで追い込んでいた。その年、マイケル・デルがアップルについてこう言ったのは有名だ。「私だったらどうするかって？　会社を畳んで株主に金を返すだろうね」。だが、ジョブズは二〇〇一年にiPodを、二〇〇七年にはiPhoneを、そ

して二〇一〇年にはiPadを発売して、二〇一一年に病気のために退くことになる。その翌年、アップルは世界一の時価総額を誇る企業となった。

アップルの価値は、ある人物のひとつのビジョンから生まれていた。このことは、新たなテクノロジーを生み出す会社が、いわゆる「現代的」な組織ではなく封建君主制に近いことを暗に示している。独創的な創業者は、有無を言わせず決断を下し、忠誠心を呼び起こし、数十年先まで計画できる。逆に、訓練されたプロフェッショナルが運営する個性のない官僚組織は、ひとりの寿命を超えて存続するけれど、目先のことしか見ていない。

企業は、人々が創業者を必要としていることを自覚しなければならない。だから、創業者の偏屈さや極端さにもっと寛容になるべきだ。単なる漸進主義を超えて会社を導くことのできる非凡な人物を、僕たちは必要としている。

創業者は、個人の栄光と賞賛はつねに屈辱や汚名と背中合わせであり、慎重さが求められることを自覚しなければならない。

何よりも、自分の力を個人のものだと過信してはならない。偉大な創業者は、彼ら自身の仕事に価値があるから重要なのではなく、社員みんなから最高の力を引き出せるから重要なのだ。偏屈な創業者が必要だと言っても、誰の力も借りないで「世界を動かす」と豪語するようなアイン・ランド的創造者を崇拝すべきだという意味ではない。偉大な作家であるランドも、この点[*4]

*4　アイン・ランド／Ayn Rand
1905-82年ロシア帝国生まれのアメリカ人小説家。代表作『肩をすくめるアトラス』で知られ、「客観主義」と名づけた彼女の思想体系は、リバタリアンおよびアメリカ保守主義に大きな影響を与えた。

では間違っている。彼女が描く悪者は本物だが、英雄はニセ者だ。「別天地」など存在しない。誰も社会から完全に離れることなどできないのだ。自己完結できる力を授かったと信じるのは、強い人間だからではなく、人々の憧れ――そして嘲笑――を勘違いしているからだ。創業者にとって何より危険なのは、自分の神話を信じこみ、本当の自分を見失うことだ。一方で、どんな企業も陥りがちな落とし穴は、すべての神話を否定して、幻想を砕くのが賢さだと勘違いすることだ。

終わりに

停滞かシンギュラリティか

先の先まで見つめる起業家でさえ、今後二〇年から三〇年より先のことを計画できないとすると、遠い未来について言えることなどあるだろうか？　具体的なことはわからないけれど、大まかな輪郭を描くことはできる。哲学者のニック・ボストロム[*1]は人類の未来に四つのシナリオが考えられるとしている。

すべての歴史は繁栄と衰退の繰り返しだと古代人は考えていた。その不運を永遠に避けられるかもしれないと人間が希望を抱くようになったのはほんの最近のことで、今当たり前のもの

*1　ニック・ボストロム／Nick Bostrom
1973年スウェーデン生まれの哲学者、オックスフォード大学哲学部教授。人類の生存に対する特異点の脅威について論文「Existential Risks（存在のリスク）」を2002年に執筆している。

として享受している安定が今後も続くかどうかはわからない。

繰り返される衰退

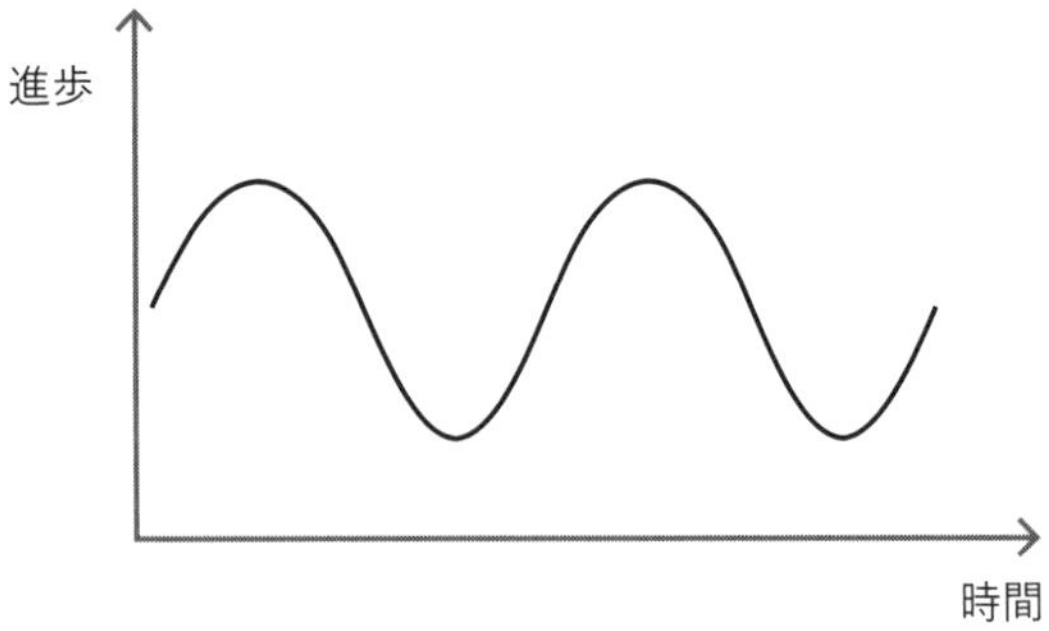

だけども、僕たちは普段その疑いを表には出さない。一般的には、最も裕福な国の生活水準まで全世界が追いつき、その後は横ばい《プラトー》が続くと予想している。このシナリオでは、未来は現

在とそれほど変わらないことになる。

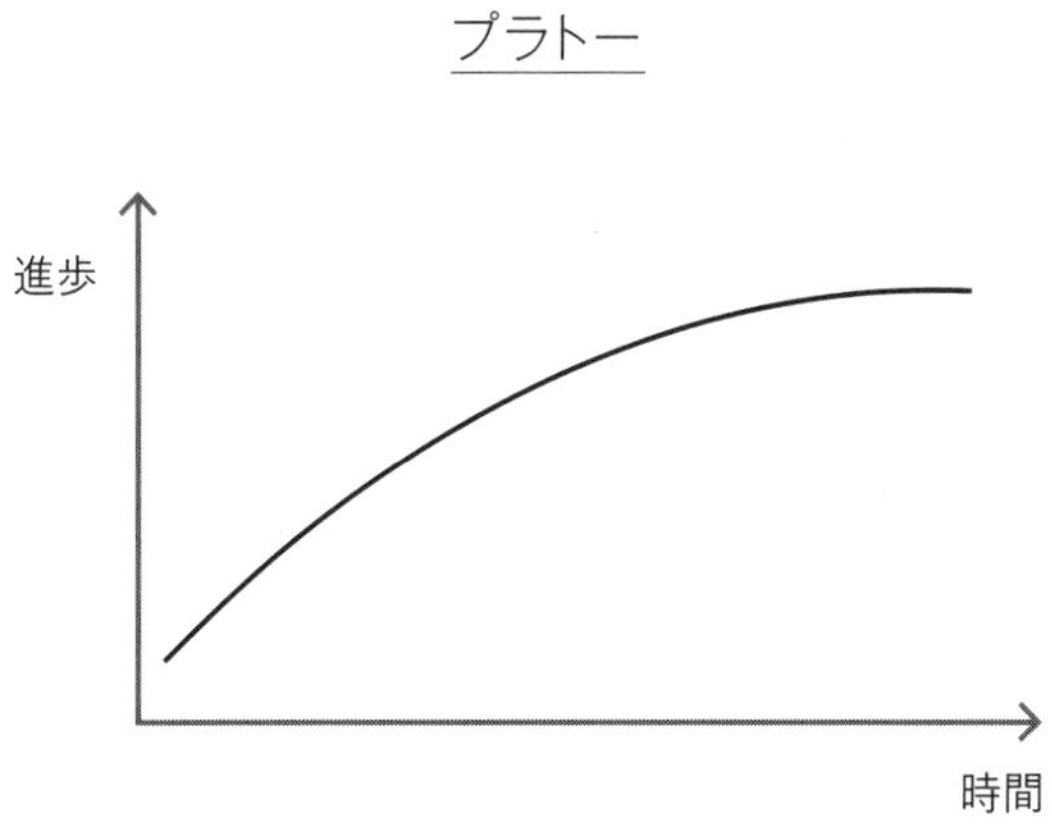

現代社会は地勢的につながり合っていること、また近代兵器が途方もない破壊力を持っていることを考えれば、もし大規模な社会的騒乱が起きた場合、その拡散を防ぐのは難しそうだ。こ

うした恐れから第三のシナリオが導かれる。僕らが生き残れないほどの惨事が起きる可能性だ。

絶滅

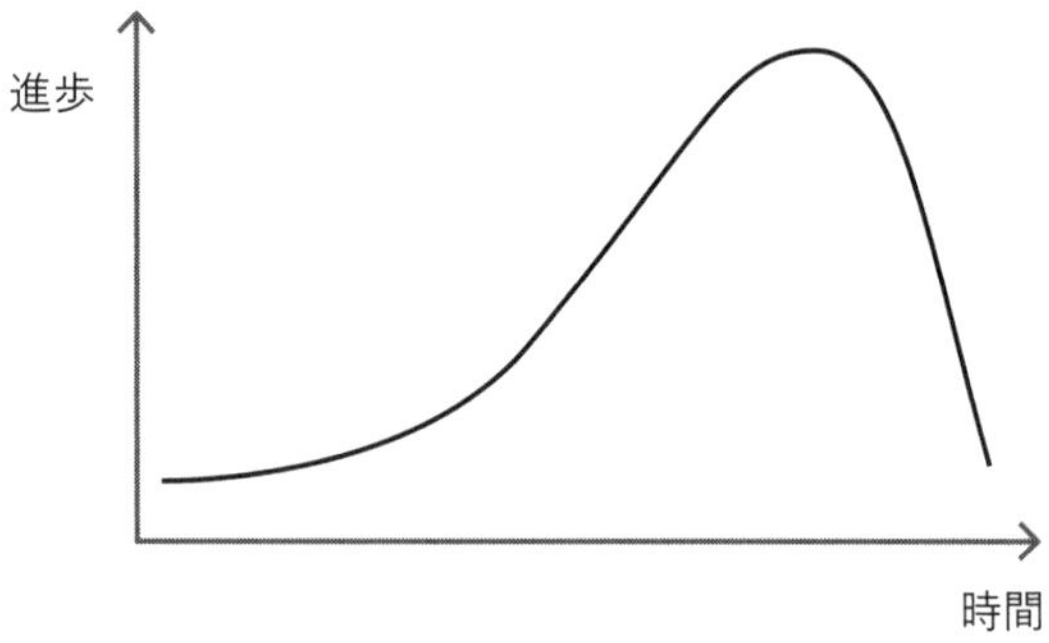

いちばん予想外なのが四つのうちの最後のシナリオで、すばらしい未来に向かって加速しながら飛び立つ《テイクオフ》という可能性だ。このシナリオにはさまざまな最終形が考えられるけれど、その

どれもが現在とはまったく違う姿になるので、ここですべてを描くのは難しい。

テイクオフ

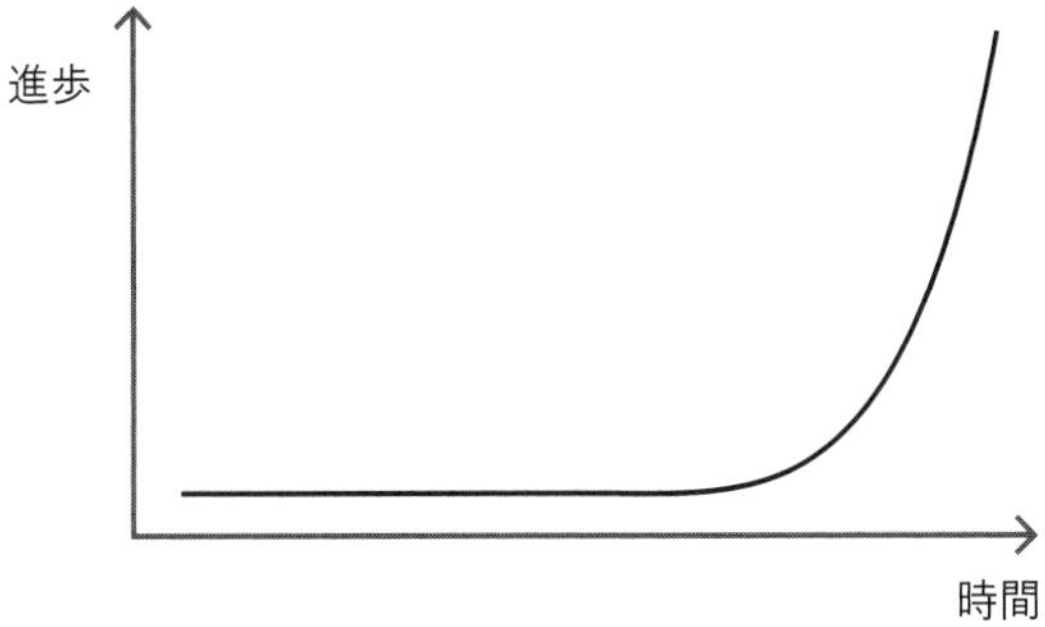

未来はこの四つのどれになるだろう?

衰退が繰り返されるとは考えにくい。今では文明の基礎となる知識が普及し、長い暗黒時代の末に社会が回復する可能性よりは、絶滅の可能性の方が高い。ただし、人類が絶滅するなら、未来を考える必要もない。

今と違って見える時代を「未来」と呼ぶなら、ほとんどの人は未来を期待していないことになる。これから数十年の間にグローバリゼーションや生活水準の収斂や均一化が起きると予想しているわけだ。このシナリオでは、途上国が先進国に追いつき、世界経済全体が横ばい《プラトー》になる。でも、本当にグローバルな横ばい状態になったとして、それは持続するのだろうか？　仮にそうなったとしても、個人や企業にとって競争はこれまでになく厳しいものになるはずだ。

ただし、稀少な資源をめぐる競争がこれに加わると、世界的な横ばい状態が永遠に続くことは考えられない。競争圧力を和らげる新たなテクノロジーがなければ、停滞《スタグネーション》から衝突に発展する可能性が高い。グローバル規模での衝突が起きれば、世界は破滅に向かう。

そうなると残されるのは、僕たちが新たなテクノロジーを生み出し、はるかにいい未来へと向かう、四番目のシナリオだ。中でもいちばん劇的なケースが「シンギュラリティ」[*2]と呼ばれるもので、これは、現在の自分たちの理解を超えるほどの新しいテクノロジーがもたらす、特異点のことだ。シンギュラリティ信奉者として名高いレイ・カーツワイル[*3]は、ムーアの法則に発想を得て、多くの分野における指数関数的成長トレンドを追跡し、人間を超える人工知能の未

*2　シンギュラリティ／Singularity

技術的特異点。テクノロジーの進歩により、人類を超える知性（脳の拡張や転送、人工知能）が生まれる段階。以後、人類の生物学的限界を超えて指数関数的な進化が起こるとする。

来をはっきりと予言している。カーツワイルによれば、「シンギュラリティは近い」。その避けられない特異点に向けて僕たちができるのは、それを受け入れる準備をすることだ。

だけど、どれほど多くのトレンドを追跡しても、未来は自然に起きるわけじゃない。シンギュラリティがどのような姿になるかよりも、今の時点で最も可能性の高い正反対の二つのシナリオのどちらを選ぶかの方がはるかに重要だ。絶滅か、それとも進歩か。それは僕たち次第だ。未来が勝手によくなるわけはない——ということは、今僕たちがそれを創らなければならないということだ。

宇宙規模のシンギュラリティを達成できるかどうかよりも、僕たちが目の前のチャンスをつかんで仕事と人生において新しいことを行なうかどうかの方がよっぽど大切だ。宇宙も、地球も、国家も、企業も、人生も、この瞬間も、大切なものはすべて、取り換えのきかない「一度限り」のものだ。

今僕たちにできるのは、新しいものを生み出す一度限りの方法を見つけ、ただこれまでと違う未来ではなく、より良い未来を創ること——つまりゼロから1を生み出すことだ。そのための第一歩は、自分の頭で考えることだ。古代人が初めて世界を見た時のような新鮮さと違和感を持って、あらためて世界を見ることで、僕たちは世界を創り直し、未来にそれを残すことができる。

*3　レイ・カーツワイル／Ray Kurzweil
1948年ニューヨーク生まれの発明家、フューチャリスト。シンギュラリティ論者として『ポスト・ヒューマン誕生』（NHK出版）など数々の著作があり、2008年に創設したシンギュラリティ・ユニバーシティはGoogle創業者などの支援のもとシリコンバレーで注目を集めている。

本書の人物イラストは以下の画像を元にマット・バックによって描かれている。

p133: Unabomber, Jeanne Boylan/ FBI composite sketch
p133: Hipster, Matt Buck
p213: Brian Harrison, Business Wire
p213: Elon Musk, Sebastian Blanco and Bloomberg/Getty Images
p233: Richard Branson, Ethan Miller/Getty Images
p234: Sean Parker, Aaron Fulkerson, flickr user Roebot, used under CC BY-SA
p237: Elvis Presley, Michael Ochs Archives/Getty Images
p237: Michael Jackson, Frank Edwards/Getty Images
p237: Britney Spears, Kevin Mazur Archive 1/WireImage
p238: Elvis Presley, Tom Wargacki/WireImage
p238: Michael Jackson, David LEFRANC/Gamma- Rapho via Getty Images
p238: Britney Spears, New York Daily News Archive via Getty Images
p239: Janis Joplin, Albert B. Grossman and David Gahr/Getty Images
p239: Jim Morrison, Elektra Records and CBS via Getty Images
p239: Kurt Cobain, Frank Micelotta/Stringer/Getty Images
p239: Amy Winehouse, flickr user teakwood, used under CC BY-SA
p240: Howard Hughes, Bettmann/CORBIS
p240: magazine cover, TIME, a division of Time Inc.
p242: Bill Gates, Doug Wilson/CORBIS
p242: magazine cover, Newsweek
p244: Steve Jobs, 1984, Norman Seeff
p244: Steve Jobs, 2004, Contour by Getty Images

著者略歴

ピーター・ティール／ *Peter Thiel*

シリコンバレーで現在もっとも注目される起業家、投資家のひとり。1998年にPayPalを共同創業して会長兼CEO に就任し、2002年に15億ドルでeBayに売却。初期のPayPalメンバーはその後ペイパル・マフィアと呼ばれシリコンバレーで現在も絶大な影響力を持つ。情報解析サービスのパランティアを共同創業したほか、ヘッジファンドのクラリアム・キャピタル・マネジメントと、ベンチャーファンドのファウンダーズ・ファンドを設立。Facebook初の外部投資家となったほか、航空宇宙、人工知能、先進コンピュータ、エネルギー、健康、インターネットといった分野で革新的なテクノロジーを持つスタートアップに投資している。

ブレイク・マスターズ／ *Blake Masters*

法律調査と分析のためのツールを作成するテック系スタートアップJudicataの共同創業者。ティールの講義を聴講してまとめたノートが本書のもととなった。

日本語版序文

瀧本哲史（たきもと・てつふみ）

京都大学産官学連携本部イノベーション・マネジメント・サイエンス研究部門客員准教授。エンジェル投資家。東京大学法学部卒業、東京大学大学院法学政治学研究科助手を経て、マッキンゼー＆カンパニーで、主にエレクトロニクス業界のコンサルティングに従事。独立後は、企業再生やエンジェル投資家として活動している。著書に『武器としての決断思考』『武器としての交渉思考』（共に星海社新書）、『僕は君たちに武器を配りたい』［2012年ビジネス書大賞］『君に友だちはいらない 』（共に講談社）などがある。

翻訳

関 美和（せき・みわ）

翻訳家。慶應義塾大学文学部卒業。電通、スミス・バーニー勤務の後、ハーバード・ビジネススクールでMBA取得。モルガン・スタンレー投資銀行を経てクレイ・フィンレイ投資顧問東京支店長を務める。主な翻訳書に、『アイデアの99%』『シナリオ・プランニング』（共に英治出版）、『なぜハーバード・ビジネス・スクールでは営業を教えないのか？』（プレジデント社）、『ハーバード式「超」効率仕事術』（早川書房）、『シェア』『MAKERS』（共にNHK出版）などがある。

装幀・本文　畑中 亨
校正　円水社

編集　松島倫明

ゼロ・トゥ・ワン
君はゼロから何を生み出せるか

2014（平成26）年 9 月25日　第1刷発行
2014（平成26）年12月10日　第5刷発行

著者　ピーター・ティール、ブレイク・マスターズ

序文　瀧本哲史

訳者　関 美和

発行者　溝口明秀

発行所　NHK出版

〒150-8081　東京都渋谷区宇田川町41-1
電話　0570-002-245（編集）
　　　0570-000-321（注文）
ホームページ　http://www.nhk-book.co.jp
振替　00110-1-49701

印刷・製本　共同印刷

乱丁・落丁本はお取り替えいたします。定価はカバーに表示してあります。

Printed in Japan
ISBN978-4-14-081658-5 C0098